GESETZE ALS QUELLEN
mittelalterlicher Geschichte des Nordens

ACTA UNIVERSITATIS STOCKHOLMIENSIS
STOCKHOLM STUDIES IN HISTORY

21

ELSA SJÖHOLM

GESETZE ALS QUELLEN

mittelalterlicher Geschichte des Nordens

ALMQVIST & WIKSELL INTERNATIONAL

STOCKHOLM, SWEDEN

ISBN 91−22−00091−7

Printed in Sweden by

Almqvist & Wiksell, Uppsala 1976

Vorwort

Während meiner Arbeit an dieser Abhandlung erhielt ich finanzielle Unterstützung von der Stiftung Elin Wägners Stipendiefond und von Emil Hildebrands Fond für Historische Studien. Die Kosten der Übersetzung sowie ein Teil der Druckkosten wurden aus Mitteln des Schwedischen Staatlichen Rates für Sozialforschung bezahlt. Ihnen allen gilt mein aufrichtiger Dank.

Stockholm im Herbst 1976

Elsa Sjöholm

Inhaltsverzeichnis

INTERPRETATION UND DATIERUNG DES GL UND DER GS

Einleitung

1. Als ich diese Arbeit vor mehr als zehn Jahren begann, hatte ich das Ziel vor Augen, die soziale Stellung der Frau, wie sie in den schwedischen Landrechten des Mittelalters erscheint, klarzulegen. Bei meinen ersten Orientierungsversuchen bezüglich des aktuellen Standes der Forschung stiess ich u. a. auf die langwierige Debatte über die Formen der Eheschliessung im älteren Recht, die während der 50er und 60er Jahre zwischen Lizzie Carlsson und Ragnar Hemmer geführt worden war. Die erstere repräsentierte die Historiker, der letztere die Juristen.

Die Konfrontation mit dieser Literatur führte zu einer teilweisen Veränderung meiner Pläne. Darüber hinaus konzentrierte ich mich auf die Klarstellung des Hindergrundes der Methoden und Wissenschaftsanschauung, die hier in Erscheinung treten und auf die ich praktisch durchgehend in aller rechtshistorischen Literatur stiess, die es auf diesem Gebiet gibt, sei es schwedische, sei es ausländische.

Die Besonderheit der Landrechte als Quellen beruht einerseits darauf, dass ihre einzelnen Abschnitte zu verschiedenen Zeiten entstanden sind, andererseits darauf, dass diese Teile auch aus einer Mischung von normierenden und erzählenden Angaben sich zusammensetzen. In einigen Fällen kann mit der landläufigen historischen Methode die Entstehungszeit vereinzelter Bestimmungen festgestellt werden. Eine solche unmittelbare zeitliche Bestimmung ist doch in den meisten Fällen nicht möglich. Man ist stattdessen dazu übergegangen, aus reiner Gewohnheit bestimmte Teile der Landrechte als ältere, andere als jüngere zu betrachten. In der Literatur drückt sich dieser Sachverhalt in der Weise aus, dass auf ältere Wissenschaftler verwiesen wird, die ihrerseits wieder auf Vorgänger verweisen usw. Ein grosser Teil der hier gemeinten rechtshistorischen Literatur benutzt diese ältere Literatur als Quelle, ohne jegliche wirkliche Diskussion darüber, wie die stets einfach vorausgesetzte Altersschichtung in den Landrechten zustande gekommen sein soll.

Die relative Chronologie, die auf diese Weise verfertigt wurde, soll darüber hinaus auch noch der Rechtspraxis und der sozialen

Wirklichkeit entsprochen haben. Eine systematische Sichtung der verschiedenen Typen von Rechtsregelungen ist niemals unternommen worden. Obwohl man sich natürlich darüber bewusst war, dass die meisten Aussagen Richtnormen sind, so hat man sie doch im grossen und ganzen so behandelt als seien sie eine Widerspiegelung der Wirklichkeit. Die Altersüberlagerungen in den Rechten wurden dadurch zu einer Widerspiegelung der gesellschaftlichen Entwicklung, durch die erstere soll man angeblich etwas über die letztere erfahren können.

Diese Grundanschauung über die Natur der Quelle und über die angewandte Methode zur Rekonstruktion der ältesten Gesellschaftsformation ist übersichtlich und in darlegender Form ausgedrückt in u. a. den Vorworten zu den neuhochschwedischen Übersetzungen der schwedischen Rechte des Mittelalters.

Der Meinung des letzteren zufolge sind die Rechtsregelungen der Landschaften Ausdruck einer selbständigen Rechtsentwicklung: ,,Ebenso wie die dänischen, norwegischen und isländischen Rechtsquellen zeigen unsere Landrechte eine germanische Kultur auf einem altertümlicheren, ursprünglicheren Entwicklungsstand als man sie irgendwo anders antrifft"[1]. Vereinzelte Bestimmungen sollen in die heidnische Zeit zurückgehen, dies gelte beispielsweise für das VgL[2]. Während der ältesten Zeit habe das Recht als Gewohnheitsrecht existiert und sei durch mündliche Tradition vermittelt worden. Der Landrichter sei Sprecher des Volkes gewesen sowie Wärter und Vorleser des Rechts auf dem Thing. Um den Gesetzestext einprägbarer zu gestalten, ist eine besondere sprachliche Stilart mit markiertem Rhythmus und Alliteration herausgebildet worden. Die Formulierungen waren konkret und teilweise in direkter Rede gehalten. Letztlich beruhe dies auf ,,der Unfähigkeit, das Abstrakte und Allgemeinverbindliche sprachlich auszudrücken und überhaupt auf der Neigung des primitiven Menschen zu einem konkreten Verständnis"[3].

Diese älteste Gesellschaft sei eine Gesellschaftsordnung von Sippen gewesen, die bis zur Niederschrift der Rechte vorherrschend gewesen sein soll. Die Macht der Sippen habe sich in vieler-

---

[1] *Holmbäck-Wessén*, I, XV. Das Wort ,,landskapslag" ist gewöhnlich mit ,,Landschaftsrecht" übersetzt. Hier ist ,,Landrecht" verwendet, denn es ist m. E. Frage von einer typologischen Übereinstimmung mit deutschen Landrechten.

[2] *Holmbäck-Wessén*, I, XVI. [3] Loc. cit. XVIII f. Kritisch, *Gagnér*, i knutz, 102 f.

lei Hinsicht geäussert: in der Blutrache, im Wergeld, dem Vorkaufsrecht der Verwandten am Boden, der Vormundschaft über
die Frau. Ursprünglich soll es auch Gerichte der Sippen gegeben
haben.

Zu dieser Zeit habe nur die Verwandtschaft durch Männer gezählt, so dass jeder Mann nur einer Sippe angehören konnte. Diese
agnatische Sippe habe die ursprüngliche Erbregelung bestimmt.
Diese von den Vorvätern geerbte Gesellschaft sei während des 13.
Jahrhunderts Gegenstand einer gründlich umgestaltenden Tätigkeit
von König und Kirche geworden, vorzugsweise nach ausländi-
schem Muster. Die Selbständigkeit der einzelnen Landschaften sei
allmählich verschwunden, die ursprüngliche Gleichheit dieser
Bauerngesellschaft wurde abgelöst von einer sozialen Schichtung.
Gleichzeitig beinhaltete auch die Zentralisierung eine gesteigerte
Zivilisation in positiver Hinsicht: königliche und kirchliche Gesetzgebung hätten mildernd auf alte Sitten und Rechtsgebote eingewirkt. Im grossen und ganzen betrachtet man diese Periode als
abgeschlossen mit der Einführung der Allgemeinen Landrechte:
Schweden sei damals ein vollständig geeintes Reich geworden,
völlig durchtränkt von den christlichen Prinzipien. Aber in allen
Rechten des Mittelalters finden sich Spuren einer älteren Entwicklung indem nämlich Rechtsgebote auch dann noch gültig gewesen
seien als sie schon längst veraltet waren. Wie in den Jahresringen
eines Baumes könne man stets die Altersschichtung im Gesetzesmaterial aufspüren. Einige Landrechte werden als besonders altertümlich angesehen, d. h. in ihnen ist der grösste Teil der älteren
Rechtsgebote intakt, hierunter wird das VgL I gerechnet sowie
das DL und das GL.

Die heutigen rechtshistorischen Abhandlungen, die mittelalterliche Landrechte als Quellen anwenden, zeigen, dass das Problem
der traditionellen rechtshistorischen Wissenschaftsanschauung
und ihrer Methode heutzutage immer noch aktuell ist. Vor allem
denke ich hier an Ole Fengers Dissertation ,,Fejde og mandebod'',
1971, die mit vergleichender Methode die Kontinuität der altgermanischen Sippengesellschaft von der ältesten Zeit bis zum
18. Jahrhundert nachzuweisen bemüht ist[4].

---

[4] S. auch *Anners*, Europeisk rättshistoria I, und die Kompendien die für die
juristische Unterweisung in Schweden benutzt werden, wie *G. Hafström*, ,,Den

Diese Grundauffassung beeinflusste auch die Auffassung der Historiker über die älteste Entwicklung der Gesellschaft, u. z. in einer Weise, die vielleicht nicht allzu klar ist. Als Beispiel kann ich, neben einer Anzahl Artikel im ,,Kulturhistoriskt lexikon för nordisk medeltid", das an den Universitäten Schwedens gebräuchliche Handbuch der Geschichte nennen: Carlsson-Rosén, Svensk Historia. In einem Kapitel schildert dieses Buch die gesellschaftliche Veränderung seit dem 12. Jahrhundert und während der folgenden Jahrhunderte unter dem Aspekt, dass die Zentralgewalt auf allen Gebieten in ,,die alte Sippengemeinschaft" eingegriffen habe[5]. Ich zitiere: ,,Ursprünglich trat nicht der einzelne sondern die Sippe als Eigentümer des Bodens auf." ,,Als eine weitere wichtige Folge der Sippengemeinschaft erscheint die *Sippenrache*." ,,Noch in den alten Landrechten ist die Rede von *Sippensühne*, d. h. von Sühnegeldern, die die Sippe des Totschlägers an die des Erschlagenen zu zahlen hatte." Und bei der Behandlung der Naturalleistungen, die die Bauern an die königlichen Güter abliefern mussten: ,,Hierbei kann nicht die Rede von Steuern in modernem Sinne sein. Solche waren unvereinbar mit germanischer Anschauung, nach der dem freien Mann keine Abgaben auferlegt werden konnten"[6]. In der Frage des Things unterscheidet der Verfasser zwischen einem älteren, volkstümlichen Prozess, geleitet vom Landschaftsrichter auf der einen Seite und einer späteren königlichen und kirchlichen Rechtsprechung auf der anderen[7].

Das Problem ist also, dass man sich nicht nur eine fiktive Urzeit geschaffen hat, sondern dass diese auch das eine Glied der Ent-

---

svenska processrättens historia", und ,,Den svenska familjerättens historia". Die Sippentheorie war in späterer Zeit der Kritik ausgesetzt – doch ohne, dass die Möglichkeit, aus ihr Kenntnisse über die altgermanischen Verhältnisse zu erlangen, in Frage gestellt wurde. Siehe *Karl Kroesschell*, Die Sippe im germanischen Recht, SZ/Germ 77, 1960, K. beanstandet, dass die Vorstellung von der Sippe eine Renaissance erlebt hätte, nicht zuletzt innerhalb der nationalsozialistischen Ideologie, loc. cit. 13 und Anm. 58. Siehe auch *Felix Gensmer*, Die germanische Sippe als Rechtsgebilde. SZ/Germ 67, 1950, 34–59. Siehe weiter *Fenger*, 74 ff.

[5] *Carlsson-Rosén* I, 115–131, mit da angeführte Literatur. Rosén baut in hohem Masse auf die Übersetzung der und den Kommentar zu den schwedischen Landrechten. Siehe auch das Kapitel Rättskällor, in: *L.-A. Norborg*, Källor till Sveriges historia, 79 ff.

[6] *Carlsson-Rosén* I, 116, 120.

[7] Loc. cit. 125.

14

wicklungsdialektik ausmacht, die die Basis bildet für unsere Vorstellungen von Gesellschaftsveränderungen in älterer Zeit. Gemäss diesen Vorstellungen hat sich die Gesellschaft also durch fortwährende Reibung und Verschmelzung von zwei im Grunde wesensverschiedenen Elementen entwickelt: die urgermanische freie Rechtsgemeinschaft und die einbrechende königliche und kirchliche Gesetzgebung, gestützt auf ausländische Vorbilder. Es ist dieser Rechtsdualismus, der der Hebel der Entwicklung nach landläufiger Auffassung ist.

Die quellenmässige Grundlage dieser Auffassung sind also die Partien, die man aus gewissen Gründen – aber ohne historische Belege – älter als die übrigen einstufte. Bestimmte Kriterien dafür wurden niemals herausgebildet, es handelt sich um allgemeine Vorstellungen, übernommen aus den evolutionistischen Ideen des 19. Jahrhunderts über das, was aus entwicklungsgeschichtlicher Rücksicht älter oder jünger ist. Hierhin gehört das obenstehende Beispiel, dass das konkrete Denken zu den Eigenarten des ,,primitiven'' Menschen gehörte. Die Sprachhistoriker haben ebenfalls einen entscheidenden Beitrag geliefert zur relativen Altersbestimmung. Die Historiker haben ohne eigentliche Diskussion ihre Ergebnisse mit denen der Rechtshistoriker abgestimmt, die auf ganz anderen Voraussetzungen aufbauen.

Mein Interesse verschob sich nun in Richtung der Frage, wie diese Betrachtungsweise der Entwicklung hat aufkommen können. Es ist offenbar, dass sie mit der einer Typusbildung der Entstehung des Nationalstaates während des 19. Jahrhunderts zusammenhängt. Aber mit Kenntnis des stark schwankenden Bildes der älteren Gesellschaft, das die rechtshistorische Literatur zeigt, kann eine solche Erklärung nicht ausreichen. Die Frage ist stattdessen, welche gesellschaftlichen Funktionen eine solche Auffassung zu verschiedenen Zeiten erfüllte und wie es geschah, dass sie Seite an Seite mit einer teilweise integrierten historischen Wissenschaft, die sich in einer ganz anderen Weise entwickelte, fortbestehen konnte. Nur die zweite Frage habe ich hier behandelt.

Allmählich kristallisierten sich also zwei Hauptaufgaben heraus. Die eine war wissenschaftsgeschichtlich und -theoretisch, die andere galt der Quellenproblematik. Vollständig können diese natürlich nicht voneinander getrennt werden. Man kann nicht eine ältere Auffassung analysieren, ohne auf die Frage einzugehen, wie sich die Wirklichkeit vom eigenen Standpunkt aus darstellt. Einen Teil der ersteren Aufgabe habe ich in meiner Dissertation „Rechtsgeschichte als Wissenschaft und Politik" behandelt. Dieser Teil behandelt hauptsächlich die Theoriebildung um ein im Europa des 19. Jahrhunderts sehr aktuelles rechtspolitisches Problem, nämlich die Umwandlung der alten Prozessordnung und die Vorschläge über die Einführung einer Jury. Mit der Forderung nach historischer Legitimation, die mit der Historischen Rechtsschule zum Durchbruch gelangt war, gingen den rechtspolitischen Reformen intensive Diskussionen voraus über die Vereinbarkeit dieser Reformen mit dem Wesen der Nation, wie es sich in den älteren Rechten vermeintlich niedergeschlagen hatte. Die rechtspolitisch siegreichen Ideen wurden dann als die wissenschaftlich einzig akzeptablen bezeichnet auch in der nordischen Rechtsgeschichte, die so gut wie vollständig eine Filiale der deutschen war.

Die zweite Hauptaufgabe hat sich immer stärker zu der eigentlich primären entwickelt: erst nach einer vollständiger klargestellten neuen Anschauung der Entwicklung kann man vergleichende Rückblicke auf die alte vornehmen. In der vorliegenden Arbeit habe ich mich indessen an der doppelten Aufgabe in der Frage eines Teilgebietes versucht. Hier folgt also eine wissenschaftshistorische Untersuchung derjenigen Momente der Sippenideologie, die aus dem Familienrecht besteht – ausser Eheschliessung auch Erbrecht – sowie eine Neuinterpretation gewisser Quellen. Letztere Aufgabe besteht eigentlich aus zweien. Man kann zwar Interpretationen begrenzter Ausschnitte des Rechts vornehmen, wie in diesem Falle des GL, aber man kann nicht weit kommen auf diesem Wege. Die jetzige Situation, da Historiker und Rechtshistoriker willkürlich aus den Gesetzen herauspflücken, was sie für den Augenblick gerade brauchen, ohne sich darüber bewusst zu sein, welche Art von Quelle sie überhaupt benutzen, ist unhaltbar. Was fehlt ist eine Identifizierung dieser Quellen in derselben Weise wie mit anderem historischen Material geschehen ist. Es ist bemerkenswert, dass wir trotz ständiger Klage über unsere Quellenarmut hinsichtlich des Mittelalters, dieses Material brachliegen lassen. Was verlangt ist – und dies ist selbstverständlich keine geringe Forderung – ist ein systematischer Durchgang sämtlicher mittelalterlicher Rechte des Ostseeraumes sowie ein Vergleich zwischen diesen Rechten untereinander und mit dem gelehrten Recht. Mit den erzielten Ergebnissen müsste dann eine Theorie gebildet werden, die gültig sein könnte für das gesamte Gebiet und die die Entstehung dieser Rechte erklärt. Desgleichen könnten so gewisse Partien erklärt werden, die sich mithilfe von historischen Belegen als jüngere Gesetzgebung einordnen lassen. Hier finden sich so viele offensichtliche Entsprechungen sowohl in den Rechten selbst als auch in der ökonomisch-politischen Situation, dass sich eine Annäherung ans Material auf breiter Grundlage als unausweichlich erweist. Eine solche Arbeit muss als Gruppenarbeit von deutschen und skandinavischen Wissenschaftlern durchgeführt werden.

Gegen Ende der Arbeit folgen einige theoretische Erwägungen über ein solches Forschungsprogramm. Dies ist ein ganz neuer Weg zur Lösung des Problemes und in dieser Abhandlung kann dieser Plan nur angedeutet werden. Es gibt sehr wenige Anknüpfungspunkte in der vorhandenen Literatur, ausgenommen Sten Gagnérs grosse Arbeit ,,Studien zur Ideengeschichte der Gesetzgebung", die sich auf der ideologischen Ebene bewegt. Aus dieser Untersuchung ergibt sich mit grosser Deutlichkeit, dass die Ideologie der Gesetzgebung in den Zusammenhang einer autoritären Staatsphilosophie sowie einer politischen Machtkonzentration gehört.

2. Die jetzige Situation innerhalb der Rechtsgeschichte hat ihre Ursache in dem spezifischen Platz, den diese Wissenschaft in der akademischen Forschungsbürokratie erhalten hat. Zur Orientierung entwerfe ich hier eine Skizze des historischen Hintergrundes dieser Frage. Die nötigen Angaben sind meiner Dissertation entnommen.

In Schweden ist Rechtsgeschichte eine Disziplin der Rechtswissenschaft[8]. Dies bedeutet, dass man in diesem Fach formal keine weiterführenden wissenschaftlichen Studien betreiben und die Doktorwürde erlangen kann, ohne über eine juristische Be-

---

[8] Dasselbe gilt für das übrige Skandinavien und u.a. für Deutschland.

rufsausbildung in der Form des Grundexamens zu verfügen. Dagegen wird keine qualifizierte historische Ausbildung verlangt. Es handelt sich hier also um etwas anderes als nur darum, dass bestimmte Spezialkenntnisse selbstverständlich erforderlich sind; hier ebenso wie in anderen historischen Teildisziplinen.

Diese eigentümliche Tatsache steht vielmehr in einer Tradition, die älter ist als anderthalb Jahrhunderte. Im Jahre 1814 veröffentlichte Savigny seine berühmte Schrift *Vom Beruf unserer Zeit für Gesetzgebung und Wissenschaft,* die eine Streitschrift gegen den Vorschlag Thibauts war, ein einheitliches Gesetzbuch für ganz Deutschland einzuführen, ein Vorschlag, der eine Menge lokaler Privilegien aufzuheben drohte. Savigny formulierte hier und in späteren Schriften eine Auffassung des Rechtes und der Rechtswissenschaft, die mehr oder weniger bewusst bis auf den heutigen Tag weiterlebte. Das Recht steht – laut Savigny – in organischer Beziehung zum Volk und sei der tiefe und wahre Ausdruck der Volksseele. Mit steigender Kultur erhalte aber das Recht ein wissenschaftliches Moment, das von Juristen gehandhabt werden müsse – das Vorbild für die Tätigkeit der Juristen fand Savigny in den grossen römischen Juristen. Das Recht solle nicht durch das Gesetzbuch reguliert werden, sondern durch die Recht setzende Arbeit der Richter. Dies hatte für Savigny nichts Willkürliches an sich. Die Richter sollten von einer Gesamtanschauung des ganzen Rechtssystems ausgehen und aus dieser würde sich die Lösung der Probleme logisch ergeben, im Einklang mit der dem System innewohnenden Struktur[9].

Als die Gesetzgebung dann doch notwendig wurde, musste sie historisch legitimiert werden. Im germanistischen Zweig der Historischen Schule wurde ,,der Ursprung" das Wesentliche und gab den Charakter dessen an, was rechtsgültig gemacht oder reformiert werden sollte. Die Rechtsgeschichte wurde zur Voraussetzung für Gesetzgebung und richterliche Tätigkeit. Durch die organologische Betrachtungsweise, die Savigny eingeführt hatte konnte die Subjektivität dieser Tätigkeit wegrationalisiert werden. Gesetzgeber und Richter vertraten hier keine Klasseninteressen,

---

[9] *Sjöholm,* Rechtsgeschichte, 70 ff.

sie waren die objektiven Interpreten eines organisch gewachsenen Rechtssystems, das in tiefem Einklang mit der Volksseele stand.

Damit erhielt die Rechtsgeschichte den ihr zugeteilten Platz direkt innerhalb der juristischen Ausbildung. Man nahm an, Jurisprudenz als Wissenschaft setze Rechtsgeschichte und die durch diese vermittelten Kenntnisse in die notwendigen Zusammenhänge voraus. Umgekehrt glaubte man, nur der ausgebildete Jurist besitze den Schlüssel zu diesem Zusammenhang und könne rechtshistorische Forschung objektiv betreiben[10].

Diese Aufteilung der Allgemeinen Geschichte und der Rechtsgeschichte in zwei verschiedene Fächer zog bedeutungsvolle Konsequenzen nach sich. Bei Savigny und Eichhorn waren Recht und Gesellschaft dasselbe. Freilich wurden alle kulturellen Äusserungen eines Volkes als Ausfluss der Volksseele betrachtet, das Recht aber und seine Handhabung nahmen für sie wie früher für Montesquieu eine Sonderstellung ein. Es war der *Esprit des lois, Geist der Gesetze,* der den wahren Charakter eines Volkes zeigte. Die Nachfolgenden, die sich dem altgermanischen Recht widmeten[11], sahen auch in den Gesetzen die ältesten Belege für die altgermanische Gesellschaft. Die schwedische Geschichtsschreibung des 19. Jahrhunderts baute beispielsweise für die älteste Zeit auf die Ergebnisse der deutschen Germanistik auf[12]. Aber während

---

[10] Bereits 1875 stellte *Karl von Amira* in seinem Werk ,,Über Zweck und Mittel der germanischen Rechtsgeschichte'' die Frage nach dem Verhältnis des Rechtshistorikers und besonders des Germanisten zur Geschichtswissenschaft. Er kritisierte den fortdauernden Einfluss der historischen Schule, dessen Folge es war, dass man es nach wie vor als Aufgabe der Rechtsgeschichte betrachtete, der Gesetzgebung Unterlagen zu liefern. Amira strich heraus, dass Rechtsgeschichte stattdessen wie die übrige historische Wissenschaft betrieben werden müsse. Die Juristen sollten sich in Geschichte und Philologie der deutschen Sprache ausbilden lassen. Die Geschichte der Sprache und des Rechts war für Amira eine Einheit, hierin fortsetzte er die Tradition Herders und Grimms. In seiner Kritik der historischen Schule und seinem Plädoyer für eine stärker universell ausgerichtete Betrachtungsweise der Entwicklung des Rechts und dem gleichzeitigen Hervorheben des skandinavischen und besonders des schwedischen Rechts als des ursprünglich germanischen, ist Amira ein Nachfolger von Gans; siehe unten, 25.

[11] ,,Altgermanisches'' oder ,,germanisches'' Recht zielt hier auf die noch gebräuchliche Vorstellung eines reinen germanischen Rechtes, frei von christlichen und römischrechtlichen Einflüssen. ,,Germanistik'' und ,,Germanisten'' zielt auf die Forschung sowie die Forscher, die hauptsächlich darauf eingestellt waren, dieses Recht zu konstruieren.

[12] *Sjöholm,* Rechtsgeschichte, 49 ff., 94 ff.

dieses Jahrhunderts wurde auch die Rechtsgeschichte von der Allgemeinen Geschichte isoliert. Gleichzeitig wurde innerhalb der Rechtsgeschichte damit fortgefahren, ältere Gesellschaftsgeschichte zu schreiben. Nach dem Durchbruch der kritischen Quellenforschung wurde vieles von den Ergebnissen der älteren Geschichtsforschung in den Bereich der Mythologie verwiesen. Worüber man sich aber offensichtlich nicht im Klaren war, ist die Tatsache, dass dies hauptsächlich die Mythen der Allgemeinen Geschichte betraf, während die rechtshistorischen ungeschoren blieben.

Dabei ist es dann verblieben. Die Rechte wurden als spezifisch juristisches Material betrachtet. Die Historiker schreckten davor zurück, dieses Material ernsthaft anzugehen mit den Methoden, die innerhalb dieser Disziplin anerkannt sind. Während des vorigen Jahrhunderts, als die Rechtsgeschichte noch in engem Zusammenhang stand mit aktuellen Gesetzesreformen, entstanden die bedeutungsvollsten Arbeiten, wie die grossen Gesetzeseditionen. Als dieser Zusammenhang mit der Zeit aufhörte, stagnierte die Forschung. Tatsächlich befinden wir uns in mancher Hinsicht in derselben Situation wie vor dem Durchbruch der Historischen Schule: die Rechtsgeschichte wird von vielen als eine Sammlung von Rechtsaltertümern angesehen, eine unnötige Ausweitung der Berufsausbildung. Ein schwedisches, juristisches Examen (jur.-kand.) gibt zwar formale, nicht aber reale Kompetenz für wissenschaftliche, historische Forschungsarbeit. Innerhalb der Rechtsgeschichte wird die Forschung nunmehr in grossem Umfang von Nich-Juristen betrieben[13]. Letztere befinden sich jedoch in einem Niemandsland: es existiert kein organisiertes wissenschaftliches Milieu für diesen Zweig der Geschichtswissenschaft und damit erhalten auch diese keine adaequate Ausbildung.

Dies erhält ausserordentlich bedeutungsvolle Konsequenzen. Im Augenblick Zählen das Zivil-, das Straf- und das Prozessrecht zu den Bereichen der Rechtsgeschichte. Diese werden isoliert von der politischen Geschichte studiert. Dies bedeutet, dass sie unschädlich gemacht werden: sie werden insbesondere für ältere

---

[13] Siehe *Hasselbergs* Bericht in ,,20 års samhällsvetenskaplig forskning".

Verhältnisse als neutral hinsichtlich der Machtstruktur in der Gesellschaft behandelt.

3. Diese übersichtliche Historiographie zur Situation in der Forschung soll auch den Hintergrund meiner eigenen Arbeit darlegen. Die Isolierung, in der heutzutage manche rechtshistorische Forschung im Norden betrieben wird, ist unfruchtbar und muss zu einer Verschwendung der Ressourcen führen. Die einzige Möglichkeit, dies zu ändern, ist der Zusammenschluss zu einem grösseren Projekt, das gemeinsam und ohne Berücksichtigung der Grenzen der einzelnen Fächer entworfen wird.

Das Buch ist eingeteilt in zwei Abschnitte, entsprechend den oben angeführten Angaben. Der erste Abschnitt wird mit einer wissenschaftshistorischen Übersicht eingeleitet unter Anknüpfung an meine frühere Arbeit. Danach folgt ein Durchgang von Åke Holmbäcks, ,,Ätten och arvet enligt Sveriges medeltidslagar" sowie die genannte Debatte über die Formen der Eheschliessung im älteren Recht. Beides repräsentiert bedeutungsvolle Gebiete innerhalb der traditionellen Rechtsgeschichte, die einige der wichtigsten Belege für die oben angeführte Auffassung über die früheste Entwicklung der Gesellschaft liefern. Die Arbeit Holmbäcks geht zwar auf das Jahr 1919 zurück, jedoch ist eine Revidierung ihrer Resultate bisher nicht vorgenommen worden. Die Diskussion zwischen Carlsson und Hemmer bedeutet keineswegs einen wissenschaftlichen Höhepunkt, aber sie hat den bedeutenden Verdienst, in einer verdeutlichenden Weise die beiden Hauptlinien der Germanistik kontrastierend gegenüber gestellt zu haben. Diese beiden Linien könnte man in etwas vereinfachender Weise die jeweils vor- und die nachhegelianische Linie nennen. Hier wird deutlich, wie diese Ideen in der heutigen Wissenschaft angewendet werden. Dadurch, dass die Diskussion teilweise in der Zeitschrift der Savigny-Stiftung geführt wurde, ist sie ausserdem dem deutschen Publikum bekannt.

Der zweite Abschnitt besteht aus einer Analyse des GL einschliesslich einer Neuinterpretation wesentlicher Partien, vor allem des Erbrechts, einer Datierung des Rechts und der sogenannten Gotensage sowie einer Bestimmung des Verhältnisses zu anderem Recht.

Gleichzeitig ist dies gedacht als eine Pilotstudie einer zukünftigen Untersuchung der mittelalterlichen Rechte als historischer Quellen. Um allzu allgemeine Aussprüche und allzu allgemeines Räsonieren zu vermeiden, habe ich jegliche Diskussion über Ziel und Methode in diesen Abschnitt verlegt. Was die Darstellung dadurch an Systematik verliert, dürfte sie gleichzeitig an Konkretion und Verständlichkeit für den Leser gewinnen. Die beiden Abschnitte stehen schliesslich in einem engen Zusammenhang, was den Aufbau der Theorie betrifft: die traditionell als Belege für die urgermanische Gesellschaft angesehenen Partien der Rechte können in sämtlichen Fällen als Niederschlag der feudalen Gesetzgebung des mittel- und westeuropäischen Raumes angesehen werden.

Da ich neue Wege hinsichtlich des Studiums der mittelalterlichen Rechte zu gehen beabsichtige, wird es unausbleiblich sein, dass ich in den Gegensatz zu früherer Forschung gerate. Daher erscheint es angebracht, die grosse Dankesschuld zu betonen, in der ich zu vielen der älteren Wissenschaftler stehe. An schwedischer Literatur möchte ich besonders die einzigartige Hilfe nennen, die ich auf diesem Gebiet durch Holmbäck-Wesséns Kommentare zu den Übersetzungen der Rechte erfahren habe mit allen Querverweisen und Hinweisen zu anderen mittelalterlichen Quellen. Die Einleitungen zu Schlyters Edition sind teils immer noch von grossem Wert. Obwohl Schlyter in seiner programmatischen Erklärung die Auffassung der Historischen Rechtsschule ausdrückt, ist er in der Textanalyse wesentlich nüchterner als die Mehrzahl seiner Zeitgenossen, besonders in seiner Stellung zum Mythos der germanischen Urzeit, der später mit den nationalen Strömungen der Jahrhundertwende einen kräftigen Aufschwung erhielt. Ich habe dies besonders bei der Behandlung des GL feststellen können. Die deutsche Literatur verfügt im allgemeinen über eine ganz andere Breite und Systematik als die schwedischen Werke. Die grossen Arbeiten aus der zweiten Hälfte des vorigen Jahrhunderts, beispielsweise die von Amira und Brunner, sind immer noch unentbehrlich, wenn man absieht von dem, was Folge der damals landläufigen Anschauung von der Entwicklung des Rechts ist und die Augen offen hält für die schiefe Tendenz, die in der Zielsetzung der älteren Literatur liegt.

THEORIE UND METHODE DER TRADITIONELLEN RECHTS- GESCHICHTE

I
Historiographische Übersicht

1. Für die Gründer der Historischen Schule stand noch das Individuum im Mittelpunkt. Man nahm nach älteren Vorbildern an, dass
die Entstehung der Gesellschaft auf den Zusammenschluss freier
Individuen zurückzuführen sei. ,,Die schöffenbaren Freien" der
mittelalterlichen Landrechte galten für Savigny und Eichhorn als
Beweis der uralten germanischen Freiheit, die man bei Tacitus
zu finden glaubte, dass nämlich alle freien Männer über sich selbst
zu Gericht sassen[1]. Die freie Gerichtsbarkeit und das Gerichts-
verfahren standen damals im Mittelpunkt des historischen Interesses der Germanisten, weil Fragen der Rechtsprechung und der
Gesetzgebung während der Jahrzehnte der französischen Revolution auf dem europäischen Festland brennende Probleme waren.
Bei Montesquieu fand sich die Theorie über das freie Gerichtsver-
fahren der alten Germanen, welches dadurch gekennzeichnet gewesen sei, dass diese sich keiner gerichtlichen Autorität unterworfen hätten[2]. Aber Montesquieu war darauf aus, zu zeigen, dass
der Adel dem König gleichgestellt war und sein germanischer
Staat ist ein kriegerischer Adelsstaat. In der germanistischen
Ideologie werden diese Elemente vermischt: zum Urbild wird der
freie, grundbesitzende Bauer und Krieger, Angehöriger einer
Sippe.

---

[1] *Sjöholm*, Rechtsgeschichte, 28 ff. Für Savigny war die Konstruktion der germanischen Gesellschaft nur ein Mittel um zu zeigen, dass das römische Recht
während des ganzen Mittelalters fortgelebt hatte. Für diese Abhandlung relevant
ist doch nur die Züge, die für den Germanismus von Bedeutung waren.
[2] *Sjöholm*, Rechtsgeschichte 19.

Gegen die Mitte des 19. Jahrhunderts geschieht eine Verschiebung innerhalb dieser Ideologie vom Individuum hin zu Familie und Geschlecht. Bei Montesquieu gab es bereits den Gesellschaftsvertrag zwischen den Sippen, der dann zum Grundmodell für die germanistische Gesellschaftskonstruktion wurde[3]. Mit Hegel, Gans und Wilda wird die Abhängigkeit des Individuums von einem übergreifenden Zusammenhang betont. Die Gesellschaft ist keine Aktiengesellschaft, wie es Wilda formulierte[4]. Hegel gibt den Germanen einen einzigartigen Platz in der Geschichte: sie seien es, die den christlichen Staat geschaffen haben[5]. Der Kern der Gesellschaft sei die Familie und aus ihr erwachse der Staat als die oberste Einheit. Die organologische Betrachtungsweise, die von der Historischen Schule eingeführt wurde, erreicht ihren Höhepunkt mit Gierkes Lehre von den *Genossenschaften* als die wesenseigene Art der Germanen einen Staat zu bilden, in dem die Urzelle die Sippe sei[6].

Mit der Verschiebung vom Individuum zum Geschlecht wurde das Familienrecht eine Hauptfrage für die Germanisten. Als die Familie und die Sippe zum Kern der altgermanischen Staatsbildung wurden, nahmen die Regelungen über Erbe und Sippenbusse einen zentralen Platz ein, ebenso wie die Formen, unter denen die Ehe eingegangen wurde.

2. Während des 19. Jahrhunderts herrschten in Deutschland zwei voneinander unterschiedene Betrachtungsweisen in der Behandlung des altgermanischen Erbrechtes vor, die universalgeschichtliche, vertreten durch Edvard Gans, und die ausschliesslich germanistische, vertreten von der Mehrzahl der Rechtshistoriker in diesem Forschungsbereich.

Im Vorwort zu Band I von *Das Erbrecht in weltgeschichtlicher Entwicklung* erklärt Gans, er werde vom althergebrachtem wissenschaftlichen Weg abweichen. Er möchte an Montesquieu anknüpfen, dessen grosser Verdienst es laut Gans sei, das Recht der einzelnen Nationen im Verhältnis zur gesamten weltgeschicht-

---

[3] Loc cit. 20.
[4] Loc. cit. 92.
[5] Loc. cit. 45.
[6] S. unten, 28 f.

lichen Entwicklung behandelt zu haben[7]. Gans greift die Historische Schule wegen ihrer Begrenzung auf germanisches, römisches und kanonisches Recht an. Dies sei eine Folge ihrer Anschauung der Rechtswissenschaft als einer Wissenschaft einzig für Juristen[8]. Aber die Rechtswissenschaft dürfe nicht mit der Rechtskunde, welche eigentlich Sache der Juristen sei, verwechselt werden. Die Rechtswissenschaft dagegen sei ein Teil der Philosophie. ,,Der Begriff des Rechts fällt daher seinem Werden nach ausserhalb der Wissenschaft des Rechts'', sagt Gans mit Hinweis auf Hegels *Philosophie des Rechts*[9].

Derjenige Teil der Rechtswissenschaft, der Rechtsgeschichte sei, sei auch notwendig Universalrechtsgeschichte, ,,denn sie gesteht keinem Volke und keiner Zeit eine ausschliessliche Wichtigkeit zu, sondern jedes Volk wird nur berücksichtigt, in so fern es auf der nun aus dem Begriffe folgenden Stufe der Entwicklung steht[10]. Gans sieht es als seine Aufgabe an, auf dem Gebiet des Erbrechtes – und damit des gesamten Familienrechtes – bei jedem Volk ,,die nothwendige Bewegung des Weltgeistes'' zu zeigen[11]. Damit ist das Wesentliche nicht mehr wie bisher, die Ähnlichkeiten zwischen verschiedenen Rechtssystemen aufzuzeigen, sondern die Unterschiede[12].

Gans meint, diejenigen Länder, die den reinsten Charakter hätten, seien die skandinavischen, vor allem Island und Schweden. Diese seien gleichzeitig staatlich wenig entwickelt, gekennzeichnet durch ,,staatliche Kindheit'' und ,,patriarchalische Formen''[13]. Die Familie sei das zentrale, sie lebe gleichzeitig aus sich selbst heraus und sei nicht – wie im Orient oder in Griechenland – von Religion oder staatlicher Moral abhängig. Die Familie könne also in ihren Grundfesten während der fortschreitenden Entwicklung zu Gesellschaft und Staat fortbestehen[14].

Gans versucht also, das Entwicklungsschema Hegels auf den Be-

---

[7] *Gans,* Erbrecht I, V, XVIII.
[8] Loc. cit. XXII ff.
[9] Loc. cit. XXX.
[10] Loc. cit. XXXI.
[11] Loc. cit. XXXIV.
[12] Ibid.
[13] *Gans,* Erbrecht III, 61.
[14] *Gans,* Erbrecht IV, 680.

reich des Familienrechtes anzuwenden[15]. Ebenso wie Hegel meint auch er, dass nicht alle Völker dieselbe Rolle innerhalb der weltgeschichtlichen Entwicklung gespielt hätten. Der Norden stehe ausserhalb dieser Entwicklung, dieser habe nicht dieselben Stadien durchlaufen wie die feudalistischen Länder England und Frankreich und sei nicht dem Einfluss römischen und kanonischen Rechts ausgesetzt gewesen. Die Rezeption des römischen Rechts betrachtet Gans als die notwendige Voraussetzung zur eigentlichen Staatsbildung. In der Kirche habe das römische Recht während des Mittelalters weitergelebt. Im römisch–deutschen Reich erhalte der christliche Staat seinen allgemeinsten Ausdruck, was bedeute, dass Deutschland unter den europäischen Staaten die führende Rolle in der weltgeschichtlichen Entwicklung einnehme[16]. Welche Bedeutung das römische Recht für die Entwicklung gehabt habe, zeige dessen Nicht–Vorhandensein im englischen Recht: das englische Privatrecht sei – so Gans – aus lediglich germanischen Prinzipien aufgebaut und stehe daher weit unter dem kontinalen Recht[17] Gans fertigte eine förmliche Kriegserklärung an die Historische Schule und ihre wissenschaftliche Methode aus, in der obengenannten Arbeit und auch in späteren Schriften[18].

Eine zusammenfassende Darstellung der germanistischen Theorien, so wie diese um die Jahrhundertwende allgemenin verstanden und noch heute akzeptiert werden, hat Rudolf Hübner gegeben in seinem Werk ,,Grundzüge des deutschen Privatrechtes"[19].

---

[15] *Hegel,* Rechtsphilosophie, § 33. Ich lasse hier das Problem beiseite, dass wir in dieser Ausgabe Hegel durch Gans kennen.

[16] *Gans,* Erbrecht III, 29 f., 58 ff.

[17] Loc. cit. 30.

[18] S. hierzu *Landsberg* III: 2 Text, 364 f.

[19] Die zweite Auflage ist ins Englische übertragen und im Jahre 1968 als Neudruck in *The Continental Legal History Series* unter dem Titel *A History of private Germanic Law* erschienen und soll für englischsprachige Studenten als Standardwerk auf diesem Gebiet dienen. Es ist ein Handbuch, das auf den wissenschaftlichen Ergebnissen des 19. Jahrhunderts, teilweise des 18. Jahrhunderts, aufbaut. S. auch *Brunner,* DR I, 110 ff. Stellvertretend für spätere Literatur s: *Schröder – v. Künssberg,* Lehrbuch der deutschen Rechtsgeschichte, 1922, 69 ff., 77 ff. *Planitz, Hans,* Germanische Rechtsgeschichte, 1941, 17 ff. *Schwerin – Thieme,* Grundzüge der deutschen Rechtsgeschichte, 1950, 18 ff. *Conrad, Hermann,* Deutsche Rechtsgeschichte I, 1954, 47 ff., 216 ff. *Planitz – Eckhardt,* Deutsche Rechtsgeschichte,

Der Ursprung des germanischen Erbrechtes war in dieser Darstellung das kollektive Eigentum der Sippe. Germanisches Erbrecht sei ein Familien- und Verwandtschaftsrecht, die Blutsgemeinschaft sei das Wesentliche. Ursprünglich habe jedoch nur die agnatische Verwandtschaft gezählt. Die Ehefrau habe bei der Heirat ihre Familie verlassen und ihre Nachkommen hätten ausschliesslich dem Geschlecht des Mannes angehört. Mit der Auflockerung der alten Gemeinschaftsformen habe sich erst ein Erbrecht entwickelt, zunächst in bezug auf die bewegliche Habe, dann in bezug auf Grund und Boden, anfänglich jedoch nur in Form des Nutzungsrechts. Das germanische Erbrecht habe hierdurch nichts Willkürliches an sich gehabt so wie das römische: ,,Die Erben wurden geboren, nicht gekoren"[20].

Hier stellte man also zwei Dinge fest, die das germanische vom römischen Erbrecht unterschieden: germanisches Recht kannte kein Testament und setzte unterschiedliche Erbregelung bei fester und bei beweglicher Habe fest. Im römischen Recht konnte man nach der landläufigen Interpretation nur das gesamte Eigentum ererben[21].

Die Sippe sei auch eine agrarische Einheit gewesen. Die Entwicklung habe zum Zusammenschluss verschiedener Familien und Geschlechter zur Nachbarmark, zu Markgenossenschaften, geführt. Dadurch sei die Auflösung des geschlossenen Sippenverbandes eingeleitet worden; die cognatische Verwandtschaft, d.h. die verwandtschaftliche Beziehung zu oder über eine Frau, habe nach und nach ihre erbrechtliche Anerkennung gefunden. Die ernährungswirtschaftlichen Aufgaben haben nun der nachbarlichen Gemeinschaft oblegen: ,,Die Geschlechtermark verwandelte sich zur Nachbarmark"[22].

Hübners Darstellung ist eine Mischung von den älteren Theorien

---

1961, 53 ff. *Mitteis – Lieberich,* Deutsche Rechtsgeschichte, 1963, 11 ff. *Amira,* Germanisches Recht II (Grundriss der germanischen Philologie), Neudruck 1967, 66 ff.

[20] *Hübner,* 736, auch 128, 620.

[21] Hübner führt auch Belege an, dass das römische Testamentsrecht äusserst eingeschränkt war, 737, Anm. 1. Nichtdestoweniger verbleibt auch im weiteren Verlauf der Darstellung das Testamentsrecht die grosse Scheidelinie zwischen germanischem und römischem Recht.

[22] *Hübner,* 129.

über die urgermanische Gesellschaft und Hegels Vorstellung, vom ursprünglich kollektiven Eigentum. Hegel brach mit der älteren individualistischen Freiheitsideologie und stellte im Gegensatz zur römischen, auf individuelle ,,private" Freiheiten gegründete Gesellschaft die germanische hin, die ein höheres moralisches Prinzip verwirklicht habe. Die Freiheit ist nicht mehr Freiheit von äusseren Zwängen, sondern sie verwirklicht sich erst in einem höheren Zusammenhang. Dies gilt bei Hegel nicht zuletzt für die Familie als dem Kern der gesellschaftlichen Entwicklung. Im Vermögensrecht zeigt sich dies in der Einheit des Familienvermögens: das Erbrecht beinhalte, dass man seinen Anteil von dem im Prinzip gemeinsamen Eigentum erhalte. Mit diesem Ausgangspunkt verwirft Hegel die testamentarische Verfügung als durch und durch unsittlich. Das private Verfügungsrecht über das Eigentum der Familie gehört nach Hegel zu dem Bereich, der das römische Recht aufs Tiefste vom germanischen unterscheide[23].

Bei vielen Rechtshistorikern herrscht Unklarheit über das Verhältnis von Sippe und Familie einerseits und dem behaupteten kollektiven Eigentum andererseits. Obwohl aber Hegel ausschliesslich von der Familie als einer rechtlich – ökonomischen und sittlichen Einheit spricht, so ist es offensichtlich seine Betrachtungsweise, die die Sippenideologie der Germanisten prägte: die urgermanische Sippe ist kein gewöhnliches Geschlecht, sondern ein Friedensverband, in obengenannter Begrifflichkeit ein *Schutz- und Trutzverband,* eine höhere Einheit, in der Freiheit und Rechte des einzelnen Individuums verwirklicht werden. Das kollektive Eigentum war die ökonomische Grundlage der Sippe. Die sittliche Seite des urgermanischen Sippenlebens ist besonders von Wilda betont worden, der einer derjenigen war, die zuerst die Sippenideologie im hegelschen Geist artikulierten[24].

Ihre am stärksten durchgearbeitete Form haben diese Vorstellungen in Otto Gierkes *Das deutsche Genossenschaftsrecht* erhalten. *Genossenschaft* ist ein spezifischer Begriff, unmöglich in andere Sprachen zu übersetzen. Er zielt auf Gedankenverknüpfungen unterschiedlicher Art, denen allen gemeinsam sei, dass In-

---

[23] *Hegel,* Rechtsphilosophie §§ 357, 358, 170, 171, 178, 179, 180.
[24] *Wilda,* Das Strafrecht der Germanen.

dividuen, die in die Genossenschaft eingehen, gleichzeitig frei und unabhängig seien und in einer höheren, organischen Einheit aufgehen. Es ist die Antithese 'Vielfalt – Einheit', 'Freiheit – Notwendigkeit', die Gierke mit Hilfe dieses Begriffes zu überwinden sucht. ,,Von allen Völkern, deren die Geschichte Erwähnung thut, hat keines die geschilderten Gegensätze so tief und gewaltig gefasst, ist keines seiner innersten Natur nach geeigneter zur Verwirklichung beider Gedanken und deshalb zu ihrer schliesslichen Versöhnung, als das germanische. Fast scheint es, als ob dieses Volk allein berufen wäre, Staaten zu schaffen, die zugleich einig und frei sind . . .''[25]

Die Sippe war nach Gierke die älteste Genossenschaft der Germanen. (Die einzelnen Haushalte seien dagegen ,,herrschaftlich organisiert'' gewesen.) Die Sippe sei ein Friedens- und Rechtsverband von *Vollgenossen* gewesen und der Ausgangspunkt für alle späteren Genossenschaften sowie für den freien germanischen Staat. Unter den Vollgenossen haben die *Schutzgenossen* gestanden, d.h. die einzelnen Mitglieder der Hausgemeinschaft ausser dem Hausvater[26].

Die ältesten Vollgenossen seien die freien, wehrfähigen Brüder gewesen. Diese sind bei Gierke eine Entsprechung des Kerns des urgermanischen Staates bei Savigny und Eichhorn: die auf dem Thing frei urteilender Männer, auch diese eine Elite von vollwertigen Bürgern. Es handelt sich in beiden Fällen um diejenige Elite, die im Genuss der Freiheit stand. Aber bei Gierke sind es nicht mehr freie Individuen, die zusammentreffen, sondern Individuen, die auf mystische Weise mit bewahrter Freiheit in einer übergreifenden Einheit aufgehen. Diese Fähigkeit, Genossenschaften zu bilden, dieser ,,soziale Charakter'', unterscheide die germanischen Völker von den romanischen.

3. In spezielleren Fragen waren die Germanisten indessen stark zerstritten, wie etwa darüber, was denn ursprünglich germanisches Rechts gewesen sei. In der Frage des Erbrechtes mussten beispielsweise Schwierigkeiten entstehen, weil die ältern Rechte

---

[25] *Gierke*, Genossenschaftsrecht I, 3.
[26] Loc. cit. 14 ff.

äusserst spärliche Informationen darüber geben. Ein sehr umstrittener Punkt war die Frage, ob das Parentelprinzip oder das Gradualprinzip das echt germanische war.[27] Die meisten älteren Forscher mit Eichhorn an der Spitze vertraten die Ansicht, das Parentelprinzip sei das ursprünglich germanische Erbprinzip gewesen. 1853 veröffentlichte indessen Heinrich Siegel *Das deutsche Erbrecht* und 1860 H. Wasserschleben *Das Prinzip der Successionsordnung,* worin beide, ausgehend vom Sachsenspiegel, behaupteten, das echte germanische Erbprinzip sei stattdessen das Gradualprinzip gewesen. Ein vollständiges Zerwürfnis bedrohte die Anschauung von einem speziell deutschen und germanischen Erbrecht.

Brunner stellte die Ordnung mit seinem Werk *Das anglonormannische Erbfolgesystem* wieder her. In der Einleitung beanstandete er, dass bis dahin keine Belege weder für das Gradualsystem noch für das Parentelsystem vorgelegt worden seien[28]. Seine eigene Arbeit sei darauf angelegt, diesen Mangel zu beheben, und er glaube, gezeigt zu haben, dass für das anglonormannische, das normannische und das bretonische Recht, die seiner Ansicht nach unbestreitbar germanischen Ursprungs seien, das Parentelprinzip in den Quellen klar zum Ausdruck komme. Diese Ansicht wurde auch von der Mehrzahl der Rechtshistoriker akzeptiert und das Parentelsystem setzte sich durch. Forscher wie Amira und Ficker wandten sich indessen gegen die Majorität und hielten am Gradualsystem fest.

Es könnte hier den Anschein erwecken, als ob es den Germanisten nicht geglückt sei, einen entscheidenden Unterschied gegenüber dem römischen Recht zu etablieren. Im justinianischen Recht herrscht nämlich das Parentelprinzip vor, diejenige Erbfolgeordnung, die wir auch im modernen Recht vorfinden[29]. Aber

---

[27] Nach dem Gradualprinzip erbt derjenige, der im Verwandtschaftsgrad dem Erblasser am nächsten steht. Über das Parentelprinzip siehe unten, Anm. 29.

[28] *Brunner,* Erbfolgesystem, 9. Brunner gibt hier eine Übersicht über die vorausgegangene Forschung.

[29] Der Erblasser und seine Nachkommen bilden die erste Parentel und folglich erben die Deszendenten, so lange solche vorhanden, unter Ausschluss aller anderen Erben. Erst danach tritt die zweite Parentel das Erbe an, d.h. die Eltern des Erblassers und deren Nachkommen. Im älteren Recht konnte das Erbrecht der Deszendenten eingeschränkt werden, wenn nicht das Eintrittsrecht eintrat, d.h. das Recht der Kinder verstorbener Erben an die Stelle ihrer Eltern zu treten.

diese Vorstellungen vom germanischen Familienrecht sind aufgebaut als Gegensatz zu Vorstellungen über das altrömische Familienrecht[30]. Vom altrömischen und vom klassischen römischen Recht nahm man an, es drücke das Wesen des römischen Rechtes aus.

Es herrschte auch Uneinigkeit darüber, in welcher Weise verwandtschaftliche Beziehungen eingestuft worden waren. Die meisten Rechtshistoriker waren Anhänger der Vorstellung eines ursprünglich agnatischen Geschlechtes, in dem nur die verwandtschaftliche Beziehung durch Männer zählte. Die gegensätzliche Ansicht, dass lediglich Verwandtschaft durch Frauen gezählt habe, das sogenannte Mutterrecht, wurde vor allem von Bachofen vertreten[31], aber auch von Forschern wie Amira und Ficker[32]. Letzterer nahm ausserdem an, die Frau habe im älteren Recht eine viel bessere Stellung innegehabt als in späteren Gesetzeswerken: die Entwicklung habe also eine Schwächung des Erbrechtes der Frau mit sich geführt.

Die Anhänger der Mutterrechtstheorie stützten sich auf Arbeiten zeitgenössischer Anthropologen wie Morgan und Mac Lennan, die meinten, die frühesten Entwicklungsstufen der Menschheitsgeschichte feststellen zu können, indem sie die Verwandtschaftverhältnisse zeitgenössischer, ,,primitiver'' Stämme studierten. Nach Ansicht Mac Lennans dürfte ursprünglich nur die verwandtschaftliche Beziehung auf der Mutterseite gezählt haben, da Vaterschaft auf dieser Entwicklungsstufe noch unbekannt gewesen sei[33]. Für Mac Lennan selbst war dieser Zustand ,,the product of an earlier and ruder stage in human development''[34]. Andere sahen hierin ein goldenes Zeitalter, den Beweis dafür, dass eine wirkliche Mutterherrschaft existiert habe. Einer der politisch bedeutendsten Anhänger dieser Anschauung war Friedrich Engels, der sich auf Morgans Untersuchungen stützte. Engels setzte als erwiesen voraus, dass eine ursprüngliche mutterrechtliche Gens die Vorstufe der vaterrechtlichen Gens der Kulturvölker gewesen sei.

---

[30] Auch dies ist eine Konstruktion, siehe *Kaser,* Das römische Privatrecht I, 4 ff.
[31] *Bachofen,* Mutterrecht.
[32] *Amira,* Grundriss, 169 ff. *Ficker,* Untersuchungen III, 419 ff.
[33] *Mac Lennan,* Primitive Marriage, 124 ff.
[34] Loc. cit. 179.

Aus dieser ältesten kommunistischen Gesellschaftsordnung, mit Freiheit für Mann und Frau, sei durch die Einführung des Privateigentums die patriarchalische Gesellschaftsordnung mit ihrer Unterdrückung der Frau hervorgegangen. Die Entdeckung der mutterrechtlichen Gens hatte – so Engels – für die Geschichte dieselbe Bedeutung wie Darwins Entwicklungstheorie für die Biologie und Marx' Mehrwerttheorie für die politische Ökonomie[35].

Der Theorie des ursprünglichen Matriarchats – womit auch ausschliesslich matrilineare und matrilokale Verhältnisse verstanden werden konnten – hing eine Minorität unter den Germanisten an. Von der Diskussion über das Matriarchat können wir hier absehen. Für die Zielsetzung dieser Untersuchung genügt die Feststellung, dass die Theorie über das ursprüngliche Patriarchat sich durchsetzte, in jedem Fall in bezug auf indogermanische und vor allem germanische Völker. Bereits im selben Jahr als *Das Mutterrecht* veröffentlicht wurde, hatte Henry Summer Maine in seiner universalrechtsgeschichtlichen Studie *Ancient Law* behauptet, er könne nachweisen, dass die ursprüngliche Einheit in der Gesellschaft die Familie nach dem Modell der *Patria potestas* aufgebaut gewesen sei, d.h. eine unter starker hausherrlicher Gewalt stehende Grossfamilie[36]. In einer späteren Arbeit stellte Maine ausserdem als eine besondere Tatsache hin, dass mehrere solcher untereinander verwandter Familien die kollektiven Eigentümer von Grund und Boden gewesen seien[37].

Gegen die mutterrechtliche Theorie trat auch Brunner auf[38]. Nach Brunner wurde es allgemein anerkannte Ansicht, dass ursprünglich nur die Verwandtschaft durch Männer gezählt habe und dass ausschliesslich Männer das Recht hatten, ein Erbe anzutreten. Dies war nur die selbstverständliche Folge der Sippenideologie, die sich herausgebildet hatte. Erbrecht und Rachepflicht wurden aufs Engste miteinander verbunden.

4. Die Vorstellung von einem speziell germanischen oder deutschen *Volksgeist* ist also in bewusstem Gegensatz zum römischen

---

[35] *Engels,* Familjen, 23.
[36] *Maine,* Ancient Law, 126 ff., 135, 146 ff.
[37] *Maine,* Lectures, 1 ff.
[38] *Brunner,* Kritische Bemerkungen, SZ Germ/21, 1–19.

Recht konstruiert worden (was nicht hindert, dass es unbewusste Analogien zwischen ihnen gibt). Gegen Ende des Jahrhunderts war, wie einleitend erwähnt, ein neues Bild von der urgermanischen Gesellschaft entstanden. Die Urzelle ist nicht mehr das einzelne Individuum sondern die Familie und das Geschlecht. Die Blutsgemeinschaft ist das Entscheidende, sie schafft die organische Verbindung zwischen den freien Männern. Die Frauen sind dem patriarchalischen System völlig untergeordnet.

Es ist selbstverständlich kein Zufall, dass die Ideologie sich einen solchen Ausdruck gab, dass aus den ,,stolz–trotzigen Individuen'' des Jahrhundertanfangs ein staatsbildendes Volk geworden war, stabil verankert in Familie und Geschlecht und deren Eigentum, mit dem welthistorischen Auftrag, das christliche Erbe weiterzutragen.

Aber das Verhältnis der Ideologien zu den Veränderungen in der Struktur der Gesellschaft und zu den aktuellen rechtspolitischen Fragen, ist ein Problemkomplex, der hier natürlich nicht behandelt werden kann. Nur einige Beispiele einer solchen Anknüpfung sollen unten gegeben werden. Es geht klar hervor, dass die gewöhnliche Erklärung, die germanistische Ideologie eine nationalistische sei, geeignet ist den wahren politischen Inhalt dieser Ideen zu verkennen. Auch von Gans könnte man sagen er sei ,,nationalistisch'', doch meint er dass das römische Recht von grundlegender Bedeutung für den Aufbau des deutsches Reiches war. Das Gegensatz germanisches – römisches Recht ist im Grunde ein Ausdruck eines politischen Verhältnisses.

Während der zweiten Hälfte des 19. Jahrhunderts setzt sich der Evolutionismus als gesellschaftswissenschaftliche Methode durch. Unter dem Einfluss Spencers und Darwins versucht man ein allgemeingültiges Entwicklungsschema für alle Völker und Kulturen zu konstruieren. Gans ist mit seiner universalgeschichtlichen Anschauung der Entwicklung des Rechtes ein Vorgänger dieser vergleichenden Methode. Bedeutungsvoll wurden u.a. die Ansichten der vorher schon genannten Anthropologen über ältere, ,,primitive'' Kultur- und Rechtsstufen. Dass Erb- und Verwandtschaftsverhältnisse zeigen würden, wie sich die Gesellschaft entwickelt habe, war übrigens bereits bei Gans ein zentraler Gedanke[39]. Für

[39] *Gans*, Erbrecht I, XXXII f.

II

Das Erbrecht

1. In der Einleitung zu „*Ätten och arvet enligt Sveriges medeltidslagar*" zeichnet Holmbäck die allgemeine Entwicklung vom Nomadendasein zur Sesshaftwerdung als Hintergrund der Veränderungen innerhalb des Erbrechtes. Mit der Sesshaftwerdung gewinne auch die verwandtschaftliche Beziehung zu einer Frau an Gewicht. Nach dieser Einleitung interessieren ihn indessen nur die inneren Grundsätze der Erbfolgeordnungen: „Aus den Verschlingungen der Erbfolgeordnungen kann, wie sonst nirgendwo, die Lösung einiger grundlegender Probleme der menschlichen Entwicklung herausgelesen werden"[1]. Die Methode der reinen organologischen Betrachtungsweise von Rechtsinstituten herrscht in dieser Arbeit vor.

Von den älteren Darstellungen des schwedischen Erbrechtes nennt Holmbäck nur zwei: Julius Ficker, '*Untersuchungen zur Erbenfolge der ostgermanischen Rechte*' und Matthäus Fritz, '*Die gesetzliche Verwandtenerbfolge des älteren schwedischen Rechts*'. Ficker hat Ähnlichkeiten zwischen gotländischem und langobardischem Recht aufgezeigt, ein Gedanke, von dem Holmbäck sagt, er habe ihn angewandt[2]. Sein Einwand gegenüber diesen Forschern ist seiner Ansicht jedoch gravierend: „Keiner von ihnen hat Erfolg gehabt in seinen Rekonstruktionsversuchen der Vorschriften des gotländischen Landrechtes über das Erbe im Mannesstamm. Kann man diese Vorschriften nicht als Hintergrund der Entwicklung heranziehen, so verbleiben auch die Landrechte des Festlandes schwer verständlich; erst wenn es gelingen sollte, die gotländischen Regelungen zu interpretieren, kann die Entwicklungskette aufgerollt werden"[3]. Holmbäck behauptet, seine Darstellung sei „in entscheidenden Punkten grundsätzlich verschieden von dem, was vorher als richtig angesehen wurde"[4].

---

[1] *Holmbäck*, Ätten, 10.
[2] Loc. cit. 5.
[3] Ibid.
[4] Ibid.

35

Dies ist indessen nicht ganz zutreffend. Sowohl in der allgemeinen Anlage des Themas als auch in der angewandten Methode schliesst sich Holmbäck an die vorherrschende Tradition innerhalb der Forschung an. Seine Beweisführung konzentriert sich auf zwei Hauptpunkte. Einmal sucht er Belege für eine ursprüngliche Erbengemeinschaft, die Ausgangspunkt für das Erbrecht im Mannesstamm gewesen sei. Hier kann Holmbäck freilich feststellen, etwas Neues konstruiert zu haben, da die ältere Forschung mit einer ,,inneren" Erbengemeinschaft, bestehend aus Kindern, Eltern und Geschwistern des Verstorbenen laborierte sowie mit einem ,,äusseren", bestehend aus allen anderen Verwandten[5]. Dies war dadurch bedingt, dass die kontinentalen Gesetze des Mittelalters, soweit sie Bestimmungen des Erbrechtes aufnehmen, zwischen diesen Gruppen von Verwandten unterscheiden. ,,Grundsätzlich" unterschieden von der früheren Auffassung ist dies aber nicht, da Holmbäck sozusagen nur einen Schritt zurückgeht und die erste Stufe der Entwicklung des Erbrechtes weg von dem behaupteten kollektiven Eigentum aufzeigt. Zum anderen möchte er zeigen, dass, falls der Erblasser eine Frau war, eine besondere Erbfolge existierte, die eine entscheidende Rolle in der Entwicklung des Erbrechtes gespielt habe. Bei einem solchen Erbfall habe nämlich die Tochter gleichberechtigt mit dem Sohn das Erbe angetreten, und dieses Prinzip habe dann die Erbfolgeordnung im Mannesstamm derart beeinflusst, dass auch hier die Geschlechter gleichgestellt worden seien. Aber genau dies, dass Geschwister das Erbe der Mutter zu gleichen Teilen aufteilten, ist ein Kernpunkt in der Darstellung Fickers[6], obwohl Ficker eine andere Vorstellung von der zentralen Entwicklung hat[7]. Holmbäck folgt der landläufigen Ansicht, nach der das weibliche Erbrecht allmählich verbessert worden sei. Was aber schwedisches Recht betrifft, so darf Holmbäck mit Recht sagen, er habe eine definitive Neuheit: nach seiner Theorie seien nämlich Sohn und Tochter in gewissen Fällen als gleichberechtigte Erben aufge-

---

[5] *Hübner*, 755.
[6] *Ficker*, Untersuchungen II, 246 und III, 290 f.
[7] S. unten, 139.

treten, bevor das Erbgesetz Birger Jarls eingriff und verhinderte, dass diese Entwicklung sich vollendete[8].

An dieser Stelle gebe ich zunächst eine kurze Zusammenfassung der Entwicklungstheorie Holmbäcks und werde danach die einzelnen Belege im Detail diskutieren.

Innerhalb der Entwicklung des schwedischen Erbrechtes könne man drei Stufen unterscheiden. Während der ältesten, die vom GL vertreten werde, existiere im grossen und ganzen noch die „ursprüngliche Erbengemeinschaft" in ihrer anfänglichen Form. Diese Erbengemeinschaft habe aus Männern bestanden, die mit dem Verstorbenen wiederum durch Männer verwandt waren. Als eigentlicher Ursprung der Erbfolge wird eine Aufteilung des Eigentums des Verstorbenen zu gleichen Teilen unter den Erben angenommen. Die Grenze sei beim vierten Verwandtschaftsgrad gezogen worden und im letzten Glied stehen also, in agnatischer Linie, der Urgrossvater, die Urenkel, die Onkel und die Neffen. Im GL sei die Entwicklung so weit vorangeschritten, dass die Söhne aus dieser Erbengemeinschaft herausgebrochen seien, so dass diese eine eigene Gruppe von Erben bilden. Auf dieser Stufe der Entwicklung gebe es unterschiedliche Erbfolgeordnungen, je nachdem, ob der Erblasser ein Mann oder eine Frau sei. Dabei werde beim Manneserbe die Erbschaft in erster Linie von verheirateten Söhnen angetreten und in zweiter von den restlichen Angehörigen „der ursprünglichen Erbengemeinschaft".

Beim weiblichen Erbrecht, das auf dieser Stufe gemäss den drei verschiedenen Erbfolgen durchgeführt werde, bedingt durch die Art des vererbten Eigentums, seien auch Töchter und andere Frauen erbberechtigt. Diese jüngere Erbfolgeordnung beeinflusse im Laufe der Entwicklung die ältere, die für das männliche Erbrecht gelte, so dass Frauen auch dort die Erbberechtigung erlangt hätten. Dies sei dergestalt vor sich gegangen, dass Frauen verschiedener Verwandtschaftsgrade nach und nach in die ursprüngliche Erbengemeinschaft aufgenommen wurden und gemeinsam mit vorhandenen männlichen Verwandten das gemeinsame Erbe antreten durften. Danach sei ein ebenso sukzessives Herausbrechen aus dem Kreis von untereinander gleichberechtigten Erben geschehen, wobei die Frauen entweder eigene Gruppen

---

[8] Für die ältere schwedische Forschung s. *Nordström,* Bidrag I, 189 ff.

von Erben gebildet oder das Erbe mit den im gleichen Verwandt-schaftsgrad stehenden männlichen Erben angetreten hätten. Gleichzeitig geschehe auch eine Veränderung in der Erbfolgeordnung des weiblichen Erbrechtes hin zur grösseren Gleichberechtigung zwischen männlichen und weiblichen Erben, und wie in der jüngeren der Erbfolgeordnungen sei diese Veränderung wiederum ein Schritt voran in der Entwicklung.

Die zweite Stufe werde durch das ÖgL vertreten. Hier sei laut Holmbäck die Sprengung der ursprünglichen Erbengemeinschaft vollzogen. Spuren davon können wir jedoch im SkL finden. Die Erbfolgen in der weiblichen Linie seien auf zwei zusammengeschmolzen und beim Tod der Frau trete die Tochter das Erbe gleichberechtigt neben ihrem Vollbruder an. Auf dieser Stufe seien auch weitere Anzeichen der allgemeinen Entwicklung hin zu gleichberechtigtem Erbrecht von Mann und Frau bemerkbar. Die Verwandten der Mutter dürfen ebenfalls erben, wenn auch in der Reihenfolge hinter den Verwandten des Vaters. In den VgL, DL und VmL seien auch die männlichen und weiblichen Enkel des Erblassers im Mannesstamm untereinander gleichberechtigt, ebenso auch die männlichen und weiblichen Enkel in der cognatischen Linie. Dies gelte in gleicher Weise für die Kinder von Bruder und Schwester.

Die dritte Entwicklungsstufe werde durch einige andere Landrechte für Svealand repräsentiert. Hier seien die verschiedenen Erbfolgeordnungen zu einer einzigen zusammengeschmolzen. In dem UL sowie in dem SdmL seien Sohn und Tochter gleichberechtigt gewesen, bevor das Erbgesetz Birger Jarls in Kraft trat. Auch im zweiten Verwandtschaftsgrad sei die Frau gegenüber dem Mann völlig gleichberechtigt gewesen.

Das älteste Erbprinzip ist demzufolge laut Holmbäck das Gradualprinzip. Erst in späterer Zeit habe sich das Parentelprinzip entwickelt.

Als Beleg für „die ursprüngliche Erbengemeinschaft" führt Holmbäck GL 19:38 und 20:12 sowie SkL 35 und SkSt 34 an[9],[10].

---

[9] *Holmbäck,* Ätten, 222 ff., 56.
[10] Der Hinweis auf die Gesetzesstelle im Original nach *Schlyter,* Übersetzung und Kommentar nach *Holmbäck-Wessén.* Wenn nichts anderes angegeben, ist das GL I gemeint.

GL 19:38 lautet in der Handschrift A: *þar sum gangs j garþi þa liautin njþiar hafuþ lut sum a fiarþa mann*[11]. Aus anderen Vorschriften des GL geht hervor, dass *gangs i garþi* wahrscheinlich bedeutet, dass männliche Deszendenten überhaupt fehlen. Der Ausdruck erinnert auch an das *ganguarf* im SkL[12]. Als wesentlich festzuhalten gilt indessen, dass man selbstverständlich nicht berechtigt ist, *niþiar* ohne weiteres als Enkel, Grossenkel, Vater, Grossvater und Urgrossvater im Mannesstamm des Verstorbenen zu interpretieren, welche demgemäss ,,die ursprüngliche Erbengemeinschaft" sein würden. Ebensowenig kann diese Erbengemeinschaft in 20:12 nachgewiesen werden, wo es heisst: *varþa synir flairin eptir mann oc aucas af allum cann gangas eptir nequara þa varin allir iem ner at lutum til fiarþa*[13]. Es geht nicht klar hervor, wie die Teilung des Erbes exakt vorgenommen werden sollte. Dabei kann aber nicht vorausgesetzt werden, dass andere als die Genannten, also die Brüder und deren Nachkommenschaft, erbberechtigt waren.

Im SkL 35 geht es um eine Verteilung zwischen Geschlechtern und Seitenlinien solcher Geschlechter, wobei Erbgleichberechtigung mit Aufteilung des Erbes zu gleichen Teilen oftmals vorkommt. Erbgleichberechtigung als solche ist folglich kein Nachweis für ,,die ursprüngliche Erbengemeinschaft". Es ist nun nicht ohne weiteres klar, welche Erben gemäss dieser Gesetzesstelle tatsächlich gleichberechtigte Erben sind. Entscheidend ist jedoch, dass ,,die ursprüngliche Erbengemeinschaft" hier auch Frauen, verwandt mit dem Verstorbenen durch Frauen, einschliessen sollte. Damit würden sich sämtliche Verwandten innerhalb eines gewissen Verwandtschaftsgrades innerhalb dieser Erbengemeinschaft befinden mit Ausnahme derjenigen Erben, die aus diesem Kreis ausgebrochen worden sein sollen. Mit einem derart veränderten Begriff kann man natürlich nichts in bezug auf eine angenommene ältere Form beweisen.

SkSt 34 schreibt vor:

Dör man aeller konae oc aer ey barn til aeller barne barn aeller barne-

---

[11] S. Übersetzung des GL, unten 144, Anm. 16.
[12] S. hier weiter unten, 40, 146.
[13] S. Übersetzung des GL unten, 144, Anm. 17.

barnebarn tha scal nestae nythae thakae arf oc thet hedir gangae arf man scal swo mykit take som konae oc konae som man[14].

Nestae nythae in dieser Gesetzesstelle bringt Holmbäck mit dem *niþiar* des GL in Verbindung. „Es kann nicht bezweifelt werden, dass mit „nestae nythae" Verwandte des Verstorbenen bis hin zu demjenigen Verwandtschaftsgrad bezeichnet werden, in dem der Onkel väterlicherseits und der Neffe auf der Mannesseite standen"[15]. Aber ebensowenig wie das vorhergehende Beispiel kann dies ein Nachweis „der ursprünglichen Erbengemeinschaft" sein.

Dieser Versuch, eine ursprüngliche Stufe des Erbrechtes hervorzukonstruieren, zeigt auch, welche Schwierigkeiten und Widersprüche sich daraus ergeben. SkSt 34 entspricht ziemlich genau BR 25: *Nv kunnu hion barnlös skiliaes aet þa aerfwin þer nestu fraendaer aeru aeptir þem*[16]. Diese Gesetzesstelle könnte also ebensogut als Beleg für „die ursprüngliche Erbengemeinschaft" angeführt werden. Hier heisst es aber im folgenden: *oc aeruir slit dottor sum son*[17]. Nach der landläufigen Interpretation beinhaltet diese Stelle, dass Vollgeschwister gleichberechtigt erbten, was laut Schema auf eine spätere Entwicklungsstufe weisen würde. Ein und dieselbe Gesetzesstelle würde also gleichzeitig auf eine sehr frühe und auf eine spätere Entwicklungsstufe hinweisen. Ähnliches gilt für das SkSt. Dieses Gesetz wird in bezug auf das Erbrecht nächst dem GL als die am stärksten konservative Rechtsordnung Skandinaviens eingestuft[18]. Aber gerade dieses Recht lässt die Deszendenten vor allen anderen Erbberechtigten das Erbe antreten, was Holmbäck in anderem Zusammenhang als einen sehr weitgehenden Eingriff in die von der Vorvätern ererbten Anschauungen ansieht. Auf dieser Entwicklungsstufe ständen lediglich die „modernsten" Landrechte im Svealand[19].

---

[14] *SkSt 34:* „Stirbt ein Mann oder eine Frau und sind weder Kinder noch Enkel noch Urenkel vorhanden, so sollen die nächsten Anverwandten das Erbe antreten und dies wird „ganguarv" genannt. Der Mann soll ebensoviel nehmen wie die Frau und die Frau wie der Mann."

[15] *Holmbäck,* Ätten, 56.

[16] *BR 25:* „Sterben die Ehegatten kinderlos, so treten die nächsten Anverwandten das Erbe an."

[17] *BR 25:* „... und erben gleichberechtigt Tochter wie Sohn."

[18] *Holmbäck,* Ätten, 56.

[19] Loc. cit., 139.

Hier soll auf diesen Widerspruch nur hingewiesen werden. Entscheidend ist, dass auf keine Weise wahrscheinlich gemacht werden kann, dass „die ursprüngliche Erbengemeinschaft" jemals existiert habe. Damit fällt das gesamte Entwicklungsschema Holmbäcks. Dieser Begriff kann also nicht, so wie es getan wurde, in die Beweisführung bei erbrechtlichen Fragen eingebaut werden.

Als Beleg für die Annahme, dass alle Enkel, agnatische wie cognatische, Neffen und Nichten untereinander gleichberechtigt erbten wird VgL I Ä 1 angeführt: *Aer eig systir þa aeru sunaerbörn Aer eig sunaerbörn þa aer dottor börn Aer eig dottor börn þa aeru broþorbörn Aer eig broþorbörn þa aeru systörbörn*[20],[21]. Der Beweis für gleiches Erbrecht sei darin zu finden, dass das Landrecht das Wort „Kind" ohne Unterscheidung des Geschlechtes verwendet. Dasselbe Argument wird in bezug auf DL G 11 und VmL Ä 11 angewandt[22].

Man ist aber selbstverständlich nicht dazu berechtigt, einen solchen Schlusssatz zu ziehen. Das erbrechtliche Verhältnis zwischen Geschwistern war im Landrecht in bezug auf das Erbe der Eltern festgelegt, und es gab ebensowenig Grund diese bekannte Tatsache zu wiederholen, wenn man angab, an welcher Stelle der Erbfolgeordnung die einzelnen Kategorien von Erben ihren Platz einnahmen, wie es in einem modernen Gesetzestext Grund gibt, immer zu betonen, dass Bruder und Schwester gleichberechtigte Erben sind. Wenn die Kinder des Sohnes usw. erben, dann musste dies demzufolge beinhalten, dass der Enkel im Mannesstamm zuerst erbte gemäss den Landrechten, in die nicht Birger Jarls Erbgesetz eingegriffen hatte, d.h. gerade gemäss dem VgL I. Ausserdem widersprechen die Bestimmungen des VgL I Ä 3:pr über das gleiche Erbrecht völlig der Holmbäck'schen Interpretation: ... *Dottor sun ok svnaedottir þer aeru iamnaervi Systur sun ok broþor dottir þer aeru iamnaervi*[23]. Es ist ganz deutlich, dass

---

[20] Loc cit. 78 und *Holmbäck-Wessén* V, 83.

[21] *VgL I Ä 1:* „... lebt keine Schwester, so erben die Kinder der Söhne. Sind keine Kinder von Söhnen vorhanden, so erben die Kinder der Töchter. Sind keine Kinder von Töchtern vorhanden, so erben die Kinder des Bruders. Sind keine Kinder von Brüdern vorhanden, so erben die Kinder der Schwestern."

[22] *Holmbäck,* Ätten, 124, Anm.

[23] *VgL I Ä 3:pr:* „Der Sohn der Tochter und die Tochter des Sohnes, sie erben beide gleiche Lose. Der Sohn der Schwester und die Tochter des Bruders, sie erben beide gleiche Lose.

diese Bestimmungen diejenigen von Ä 1 ergänzen. Um sie in Übereinstimmung mit der These zu bringen, dass stattdessen der Enkel
und die Enkelinnen in der Manneslinie gleichberechtigte Erben
seien, setzt Holmbäck sie später als die Bestimmungen in Ä 1 an.
Die Beweisführung ist völlig spekulativ und geht von der Hypothese „der ursprünglichen Erbengemeinschaft" aus[24].

Als ältesten Beleg für das gleiche Erbrecht von Sohn und Tochter führt Holmbäck ÖgL G 23 an:

Nu giptis kona ok fa barn maeþ bonda sinum: nu dör han þa giptis hon
andrum far ok barn maeþ hanum þa dör hon siþan ok hauer tua kulla aepti
sik: þa takaer sua kuldaer sum kuldaer af omynd iam mykit en dottir sum
atta syni bolfae sum eghn ok omynd lösöra skiptin syszkini maellum sin:
takin all aem iamt[25].

Diese Gesetzesstelle legt Holmbäck dahin aus, dass einerseits
die Vererbung der Mitgift der Ehefrau gemeint sei und anderer-
seits die Vererbung von anderem Eigentum der Frau, das in dem
Begriff „Fahrhabe" eingeschlossen sei. Bei der Vererbung der
Mitgift erbten Kinder aus verschiedenen Ehen gruppenweise
gleichberechtigt, was foglich mit sich führen könne, dass eine
Tochter allein ebensoviel erbte wie acht Söhne zusammen. Die
Fahrhabe dagegen werde nach der Anzahl der Köpfe aufgeteilt.
Letzteres ist das, was zu der Schlussfolgerung verleitet, dass die
Schwester zu gleichen Teilen mit Vollbruder erbe. Hierfür gibt es
keine andere Begründung als die, dass man nicht „den geringsten
Zweifel hegen kann, dass das Landrecht hier nicht darauf zielt, die
Tochter beim Antritt des Erbes mit dem Bruder auf die gleiche
Stufe zu stellen, mit dem Recht, denselben Anteil zu erben"[26].

Damit diese Interpretation möglich werde, muss Holmbäck zwei
Dinge voraussetzen. Das eine ist, dass hier zwei Arten von Eigentum in Rede stehen, die nach verschiedenen Erbfolgen vererbt

---

[24] *Holmbäck*, Ätten, 93, Anm. 2.
[25] *ÖgL G 23:* „Eine Frau verheiratet sich und hat Kinder mit ihrem Mann; jetzt
stirbt er und sie verheiratet sich mit einem anderen und hat auch mit diesem Kinder;
dann stirbt sie und hinterlässt Kinder aus zwei Ehen. In einem solchen Fall erhalten
die Kinder aus der einen Ehe von der Mitgift ebensoviel wie die Kinder aus der
anderen, eine Tochter ebensoviel wie acht Söhne, sowohl von der Wohnstatt als
auch vom Boden; die Fahrhabe mögen die Geschwister unter sich teilen und nehme
jeder gleich viel.
[26] *Holmbäck*, Ätten, 91.

werden. Das andere ist, dass der Gesetzgeber durch Verwendung des Wortes „Geschwister" – ohne Unterscheidung des Geschlechtes – darauf zielt, dass Bruder und Schwester gleichberechtigte Erben seien. In derselben Weise wie beim Erbe der Kinder des Sohnes und der Tochter im VgL setzt Holmbäck also das voraus, was bewiesen werden soll.

Die Interpretation von „Fahrhabe" als alles weitere Eigentum ausser der Mitgift einschliessend, kann nicht richtig sein. Welche Art von Eigentum ist also gemeint? Im G 16:pr wird festgelegt: *... alla þa eghn hon kan fa agha ok aerua: hon a til omynd ganga firi utan köpu eghn aella hon giptis annan tima maeþ haenne þa gangaer þön eghn til omynd*[27]. Hieraus geht klar hervor, dass Mitgift und ererbtes Eigentum und, gerade in einem solchen Fall wie in G 23, erworbenes Eigentum in erbrechtlicher Hinsicht als eine Einheit betrachtet wurden. Gemeint ist also das Eigentum, dass die Frau bei der zweiten Heirat mit in die Ehe einbringt, das in dieser Gesetzesstelle als *omynd* bezeichnet wird. Von diesem Eigentum sollen Grund und Boden und die Inventarien des Hofes unter den Kindern aus verschiedenen Ehen zu gleichen Gruppenteilen aufgeteilt werden, das übrige Eigentum nach der Kopfzahl.

Ebbe Koch hat eine andere Interpretation von „Geschwister" vorgelegt und angenommen, dies hätte ursprünglich „männliche Geschwister" bedeutet[28]. Er nimmt nämlich an, diese Bestimmung sei aus Versehen stehen gelassen worden aus der Zeit, als „der Hut das Erbe nahm und die Haube leer ausging". Da wir nicht wissen, wie alt diese Bestimmung ist, scheint es unnötig, eine solche Vermutung auszusprechen. Diese Bestimmung setzt das Erbe von Halbgeschwistern fest und liest man „Geschwister" als „Halbgeschwister", so ist der Sinn völlig klar: nur das feste Eigentum wird nach Ehen aufgeteilt, im übrigen teilen Halbgeschwister wie Vollgeschwister.

Auch was das VgL betrifft, nimmt Holmbäck als wahrscheinlich an, dass Sohn und Tochter beim Erbe der Mutter gleichbe-

---

[27] *G 16:pr:* „Jeglicher Grund und Boden, den sie besitzen oder erben wird, soll als Mitgift angesehen werden, ausser gekauftem Grundbesitz; wenn sie sich aber zum zweiten Mal verheiratet und diesen in die Ehe mitbringt, so soll auch solcher Grundbesitz als Mitgift angesehen werden.

[28] *Kock*, Om hemföljd, 53.

rechtigt das Erbe antraten. Das Hauptargument ist, dass das VgL in so gut wie allen Beziehungen moderner sei als das ÖgL[29]. Eine veränderte Auffassung kommt indessen im Kommentar zur Übersetzung des Landrechtes zum Vorschein[30].

Ein Beleg dafür, dass die Schwester gleichberechtigt mit dem Vollbruder erbt, existiert demzufolge im Götarecht nicht und auch nicht dafür, dass eine besondere Erbfolge eingehalten wurde, wenn der Erblasser eine Frau war. Die Vorschriften über die Erbschaft von weiblichem Eigentum berühren teils die Aufteilung unter den Kindern aus verschiedenen Ehen, teils die Art der Vererbung der Mitgift, falls die Frau kinderlos starb. Die früheren Regelungen müssen zusammenhängen mit den Regelungen für die Abfindung der Kinder aus früheren Ehen bei der Wiederverheiratung. Diese Regelungen konnten unterschiedlich für die Eltern sein. Eine andere Verschiedenheit bei der Beerbung der Eltern findet sich nicht, mit Ausnahme des Erbes von unehelichen Kindern.

Der Beweis, dass es ein vollständig durchgeführtes und gleiches Erbrecht für Sohn und Tochter im UL und im SdmL gegeben habe, bevor Birger Jarls Erbgesetz in Kraft trat, erachtet Holmbäck als „vollständig bindend". Sein Ausgangspunkt ist die Vorschrift im UL Ä 11:pr:

ae swa mang syzkini aeru þa takaer ae systir halw minnae aen broþer. Liwae barn aeptir broþor taki slikt broþor barn sum broþer ok slikt systur barn sum systir Swa aerfwis allt til faemptae manz þaer hwart föþis fram aff andru ae maen ett syzkini liwaer þaghaer syzkini aeru all döþ þa takaer slict systur barn sum broþor barn[31].

Die Beweisführung ist in Kürze folgende[32]. Die Vorschrift, dass die Enkel die Hauptanteile des Erbes erhalten sollen, müsse älter sein als das Eintrittsrecht und Birger Jarls Erbgesetz. Wenn das Eintrittsrecht eingeführt gewesen war, wäre es unmöglich ge-

---

[29] *Holmbäck,* Ätten, 92 f.
[30] *Holmbäck–Wessén,* V, 85.
[31] *UL Ä 11:pr:* „Wieviele Geschwister auch immer vorhanden sein mögen, die Schwester erhält stets halb so viel wie der Bruder. Sind Kinder eines verstorbenen Bruders vorhanden, so sollen die Kinder des Bruders ebensoviel erhalten wie ein Bruder, und Kinder der Schwester ebensoviel wie eine Schwester. So möge man in absteigender Linie bis ins fünfte Glied erben. Sobald alle Geschwister verstorben sind, erhalten die Kinder der Schwester ebensoviel wie die Kinder des Bruders."
[32] *Holmbäck,* Ätten 133, Anm. 1.

wesen, dass die alte, primitive Regelung von der Aufteilung des Erbes in Hauptanteile weitere Siege gewonnen hätte. Da das UL die Kinder der Tochter schon vor Birger Jarls Erbgesetz gleichberechtigt neben die Kinder des Sohnes gestellt hätte, müssen auch Sohn und Tochter gleichberechtigte Erben gewesen sein. Diese Schlussfolgerung müsse in jedem Fall in einer Rechtsordnung gelten, die später als bei der Auflösung der ursprünglichen Erbengemeinschaft die Kinder des Sohnes den Kindern der Tochter gleichstellte. Man könne nämlich nicht voraussetzen, dass die Rechtsordnung sich dafür interessieren würde, die Nachkommen der Tochter zusammen mit denen des Sohnes das Erbe antreten zu lassen, bevor die Tochter selbst zusammen mit dem Sohn erbe. Und da das ältere Recht nur die Aufteilung in gleiche Anteile kannte, habe die Tochter gleichberechtigt mit dem Sohn geerbt.

Dieser Gedankengang baut auf völlig falschen Voraussetzungen auf. Ein annehmbarer Beleg für ,,die ursprüngliche Erbengemeinschaft" ist niemals vorgelegt worden, wie oben gezeigt, und man darf daher diesen Begriff nicht für irgendwelche Schlussfolgerungen über die Entwicklung des Erbrechtes anwenden. Die Behauptung, die Nachkommen der Tochter haben nicht gleichberechtigt mit denen des Sohnes erben dürfen, bevor die Tochter selbst gleichberechtigt mit dem Sohn erbte, ist falsch. Im VgL erbt, wie eben gezeigt, die Tochter nach dem Sohn, aber der Sohn der Tochter ist nach den Regelungen der Erbgleichberechtigung gleichberechtigter Erbe mit der Tochter des Sohnes. Die Behaupung, die Aufteilung nach Hauptanteilen könne nicht aufs Neue zur Anwendung kommen, seit Einführung des Eintrittsrechtes, steht ganz im Einklang mit dem organologischen Blickwinkel Holmbäcks. Dort haben die Grundsätze ein Dasein als lebendige Organismen, die altern und sterben wie diese. Aber so spät wie noch während der Arbeit am späteren Landrecht von 1734 wurde im Einklang mit gerade UL Ä 11:pr vorgeschlagen, dass die Enkel nach Hauptanteilen teilen sollten, wenn keine direkten Nachkommen mehr lebten[33].

Die Vorschrift, dass die Kinder des Bruders ebenso wie der

---

[33] *Winroth*, Svensk civilrätt V, 52.

Bruder selbst und die Kinder der Schwester wie die Schwester selbst erben sollten, zeigt, dass Birger Jarls Erbgesetz eingeführt worden war und dass die Enkel in Übereinstimmung mit dieser Aufteilungsnorm das Erbe antraten. Um dieser Schwierigkeit auszuweichen, erklärt Holmbäck, dass es sich um einen qualitativen Unterschied zwischen den Anteilen der Geschwister handele: der Sohn erhielt nämlich nach Ä 12 in erster Linie seinen Anteil im Dorf. Gleichzeitig sollen diese Begriffe auf die Anteile nach Quoten in Birger Jarls Erbgesetz zielen. Eine solche Doppelbedeutung ist indessen in sich selbst widersprüchlich. Nach derselben Gesetzesstelle erhielt nämlich die Schwester ihren Anteil im Dorf, wenn mehr Dörfer vorhanden sind als Brüder. Sie würde dann einen Bruderteil nach der obigen Definition und einen Schwesternteil nach Birger Jarls Erbgesetz erhalten.

Es dürfte also vollends klargestellt sein, dass kein Beleg dafür angegeben wurde, dass Vollgeschwister gleichberechtigt und zusammen erbten, bevor Birger Jarls Erbgesetz eingeführt wurde.

2. Innerhalb der rechtshistorischen Forschung ist allgemein angenommen worden, dass es in Värend seit sehr alten Zeiten gleiches Erb- und Heiratsrecht gegeben habe, in jedem Fall vor der Zeit der schriftlich überlieferten Landrechte. Schlyter, der von Värend und Blekinge ausschliesslich Fälle gleicher Erbteilung kannte, nahm an, dass dieser Brauch aufgekommen sein müsse bevor sich der Gerichtsbezirk von Tiohärad herausbildete und auch bevor Blekinge von Schweden abgetrennt wurde. Später ist gleiche Erbteilung auch für die ländlichen Gerichtsbezirke ausserhalb Värends nachgewiesen worden, und es ist daher als ungewiss angesehen worden, welche Ausbreitung dieser Brauch ursprünglich gehabt hat. ,,Es dürfte in jedem Fall volle Einigkeit darüber herrschen, dass das värendische Erbrecht eine Rechtstradition repräsentiert, die älter ist als das Allgemenie Landrecht", heisst es in der Übersetzung der Landrechte. ,,Diese Rechtstradition hat ohne Zweifel den verlorenen Teilen des SmL angehört"[34].

Viele Erklärungen zur gleichen Erbteilung sind vorgestellt worden. Während des 17. Jahrhunderts, als das Verhältnis zwischen

---

[34] *Holmbäck–Wessén*, V, LXXXIV.

dem värendischen Gewohnheitsrecht und dem Reichsrecht diskutiert wurde, entstand die sogenannte Bländasage, die dann in vielen Formen weiterlebte, obwohl sie frühzeitig als historische Quelle abgelehnt wurde. Später lancierte Peter Wieselgren den Gedanken, es sei Värend gewesen, wohin die von dem spätgriechischen Geschichtsschreiber genannten Heruler gezogen seien, als sie um 500 n. Chr. über den Ozean segelten und sich auf der Insel Thule ansiedelten. Diese Theorie wurde u.a. von Otto v. Friesen und Nat. Beckman ausgebaut mit der Erklärung, diese Heruler hätten das gleiche Erbrecht von den Westgoten übernommen, oder seien direkt vom gleichen Erbrecht des römischen Rechtes beeinflusst worden und hätten dieses dann in Värend eingeführt[35].

In dem entwicklungsgeschichtlichen Schema, das oben diskutiert wurde, stellte das gleiche Erbrecht im värendischen Recht sowie im BR diejenige Stufe dar, die das UL und das SdmL erreicht hatten, bevor Birger Jarls Erbgesetz die gewonnenen Resultate zunichte gemacht habe. In Värend habe das Volksrecht wegen der Lage des Gerichtsbezirkes intakt bewahrt werden können. Nach Blekinge sei das gleiche Erbrecht von Schonen aus eingeführt worden, wo es früher bestanden haben soll[36].

Welche Fakten stützen die Theorie, dass es ein gleiches Erb- und Heiratsrecht schon in dem verlorenen Landrecht von Tiohärad gab?

Der älteste und für die ältere Forschung offensichtlich entscheidende Beleg ist ein Diplom von 1350 gewesen. In diesem teilen Peter, Ragnvald und Filip Eringislasson mit dem Willen des Vaters und der Mutter sowie mit dem Rat der Verwandten *wort faedrene oc wort mödrene i fiura broþurlyti, fore þy þet wi hafum gifit ware systor Inggeborghe Aeringisladotur fullan broþurlut oc jamnan wiþar os*[37].

Wie man daraus die Schlussfolgerung hat ziehen können, dass in Värend gleiches Erbrecht gegolten habe, ist nur schwer verständ-

---

[35] Loc. cit. LXXXIII.

[36] *Holmbäck*, Ätten, 196. Über das gleiche Erbrecht in Värend werden die schwedischen Juristen noch heute unterwiesen, s. *Hafström*, Den svenska familjerättens historia, 114 ff.

[37] *DS 4554:* ,,... unser Vatererbe und unser Muttererbe in vier Bruderlose teilten, denn wir gaben unserer Schwester Ingeborg Eringisledotter ein volles Bruderlos und gleich viel wie uns.''

lich. Wenn die Brüder unterstreichen, dass die Schwester *fullan broþurlut* erhalte, deutet dies eher auf das Gegenteil[38]. Auch für den Fall, dass man in diesem Brief eine Versicherung dagegen sehen will, dass die Erbteilung später etwa nach dem Allgemeinen Landrecht geändert werde, ist es unmöglich aus diesen Worten ein gleiches Erbrecht im Landrecht für Tiohärad herauszulesen. Unter den Ausstellern der Urkunde findet sich auch der Verlobte oder Ehegatte der Schwester[39], und der Brief ist offenbar ein Abkommen zwischen ihm und den Brüdern um den der Schwester zukommenden Erbteil. Die Partei, die den Vertrag ändern will, wird mit einer Busse von 40 Mark zugunsten der Partei belegt, die den Vertrag halten will. Es muss als äusserst zweifelhaft angesehen werden, ob man von solchen internen Abmachungen in Erbschaftsfragen darauf schliessen kann, was geltendes Recht gewesen sei. Man dürfte die Unterstützung des Landrechtes nicht benötigt haben, um den Erbteil der Tochter an den des Sohnes anzugleichen, etwa um eine angemessene Heirat zu ermöglichen, wenn die übrigen Erben sich darüber einig waren.

Eine Analyse dieses Briefes sowie der Verhältnisse der daran beteiligten Parteien würde vielleicht Aufschluss über das Zustandekommen dieser Abmachung geben. Vermutlich ist das Material jedoch zu unzulänglich, als das es weitere Schlussfolgerungen zulassen würde.

Ebenso wäre es natürlich von grossem Interesse, diejenigen Fälle von gleicher Erbteilung, die in- und ausserhalb Värends angetroffen wurden, näher zu untersuchen. Blekinge zeigt z. B. in neuerer Zeit interessante Variationen zwischen verschiedenen Bezirken auf[40]. Solche Angaben müssen jedoch im grösseren Zusammenhang gesehen werden, nämlich gegen den Hintergrund unterschiedlicher sozialer Strukturen in verschiedenen Gebieten sowie der Verbindungen nach aussen, wie etwa für Värend mit

---

[38] Dass der oben genannte Brief als Beleg für das gleiche Erbrecht im Landrecht für Tiohärad hinreichend sei, wurde bezweifelt von *J. E. Almquist*, in: Strödda bidrag till civilrättens historia, Stockholm 1953, 35, Anm. 1, dessen Arbeit für die ältere Zeit übrigens vollständig auf Holmbäck zurückgreift. Er führt diesen Gedankengang indessen nicht zu Ende, sondern akzeptiert die These über das gleiche Erbrecht im Landrecht für Tiohärad.

[39] *Larsson,* Värend, 404.

[40] Loc. cit. 13 f., Anm. 12.

dem Gebiet um Kalmar usw. Nach einem solchen Durchgang des zugänglichen Materials könnte man doch sicherlich keine Schlussfolgerungen darüber ziehen, was im verlorengegangenen Landrecht von Tiohärad gestanden haben soll. Gleichzeitig ist von neuerer Forschung eine Reihe von Belegen angeführt worden, nach den das Prinzip der gleichen Erbteilung in Värend *nicht* angewandt wurde[41]. Wie die obengenannte sind diese Belege erst aus dem späteren Mittelalter.

3. Auch in bezug auf das BR ist man sich einig, dass es gleiches Erbrecht für Vollgeschwister festsetze. Eine Untersuchung der Bestimmung ist offensichtlich nicht geschehen, sondern man hat die Sache als gegeben vorausgesetzt[42]. Welche Belege für dieses gleiche Erbrecht gibt es dann aber?

Das BR fasst sich über Erbschaftsangelegenheiten äusserst kurz. Die wichtigsten Bestimmungen stehen im Kap. 25:

Nv kunnu hion barnlös skiliaes aet þa aerfwin þer nestu fraendaer aeru aeptir þem oc aeruir slit dottor sum son. warþaer maþaer twaegiptaer oc afflaer han barn viþ baþae kunur þa taki slikt koldaer sum koldaer baþi aftir faþur oc moþor[43].

Der Satz *oc aeruir slit dottor sum son* ist deutlich fehlplaziert; er passt ja nicht zu der Voraussetzung *Nv kunnu hion barnlös skiliaes aet*. Er passt dagegen zur zweiten Voraussetzung: *warþaer maþaer twaegiptaer*. Diese Bestimmung erhält einen logischen Aufbau durch eine umgekehrte Satzfolge. Der zweite Teil der Gesetzesstelle würde dann lauten: *warþaer maþaer twaegiptaer oc afflaer han barn viþ baþae kunur þa taki slikt koldaer sum koldaer baþi aftir faþur oc moþor oc aeruir slit dottor sum son.*

Durch eine solche Auslegung erhielte diese Regelung auch Ent-

---

[41] Ibid.

[42] *Nordström*, Bidrag II, 192, führt das Zitat ,,dottor aeruir slict sum son'' an, ohne den Zusammenhang anzugeben und stellt danach das gleiche Erbrecht fest. Diese Auffassung wird noch heute ohne Überprüfung der Quellen anerkannt.

[43] *BR 25:* ,,Jetzt können die Eheleute kinderlos sterben, so erben ihre nächsten Anverwandten und die Tochter gleich viel wie der Sohn. Verheiratet sich ein Mann zweimal und hat Kinder mit beiden Ehefrauen, so erben die Kinder aus der ersten Ehe zu gleichen Teilen mit den Kindern aus der zweiten Ehe, sowohl vom Erbe der Mutter als auch vom Erbe des Vaters.''

sprechungen in den Landrechten. Im vorher behandelten ÖgL G 23 wird über eine Frau, die sich verheiratet und Kinder aus zwei Ehen hinterlässt, folgendes festgesetzt:

ÖgL G 23: þa takaer sua kuldaer sum kuldaer af omynd iam mykit en dottir sum atta syni bolfae sum eghn . . .[44].

DL G 11:1: aer siþan sundirkulla i andrum þrea möiar ella swa manga þa haelst aeru fa aeki mera aen en broþurs lut[45].

VmL Ä 11: pr: Aer sundaer colla i adrom colle aer broþer adrom aer syster take syster op en broþors lot þy at haer stander mö i manz stad i faþors aerffd sinne oc moþor oc laengaer aei[46].

Besonders zwischen der letztgenannten Gesetzesstelle und BR 25 liegt eine ziemliche Übereinstimmung vor, und es ist möglich, dass das BR diese Bestimmung aus den Landrechten übernommen hat. Ist diese Interpretation zutreffend, dann deutet diese Regelung eher darauf, dass das gleiche Erbrecht keine allgemeine Gültigkeit hatte. Ebenso wie im VmL würde diese Bestimmung unterstreichen, dass bei der Erbteilung unter Kindern aus verschiedenen Ehen – also unter Halbgeschwistern – Sohn und Tochter als gleichberechtigte Erben auftraten, sonst jedoch nicht.

Das BR beinhaltet nur sehr wenige Bestimmungen familienrechtlichen Charakters. Das Kap. 24 setzt gleiches Heiratsrecht fest, jedoch kann man daraus natürlich nicht schliessen, das Erbrecht für Vollgeschwister sei gleich gewesen. Als vergleichendes Beispiel kann angeführt werden, dass das SkSt zwar gleiches Heiratsrecht kennt, der Tochter jedoch nur die Hälfte eines Erbloses zuspricht[47]. Weitere Bestimmungen, die bei der Beurteilung dieser Frage Anleitung geben könnten, existieren nicht. Es muss auch darauf hingewiesen werden, dass die Tatsache, dass MESt später das gleiche Erbrecht für Vollgeschwister durchführte, kein Beweis dafür ist, dass dies bereits im BR vorgelegen habe.

---

[44] Siehe Anm. 25.

[45] *DL G 11:1:* ,,. . . gibt es eine Anzahl Halbgeschwister und darunter drei Mädchen oder wieviele auch immer, so bekommen sie zusammen doch nicht mehr als ein Bruderlos.''

[46] *VmL Ä 11:pr:* ,,Sind zwei Halbgeschwisterschaften vorhanden, in der einen ein Bruder, in der anderen eine Schwester, so erhält die Schwester ein volles Bruderlos, denn hier steht ein Mädchen an Mannes Statt, bei der Erbnahme des Erbes des Vaters und der Mutter, aber danach nicht mehr.''

[47] SkSt 27, 28.

4. Demzufolge sind keine haltbaren Belege dafür vorgelegt worden, dass Vollgeschwister entweder in den Landrechten oder im BR als gleichberechtigte Erben aufgetreten wären. Dies gilt sowohl für die Kinder des Erblassers als auch für die Enkel. Die Gleichstellung von Mann und Frau beim Antreten des Erbes liegt dann vor, wenn sie verschiedene Geschlechter oder Seitenlinien des Geschlechtes vertreten; dies kann aber nicht beweisen, dass sie auch als Glieder desselben Geschlechtes oder derselben Seitenlinie gleichgestellt gewesen seien. Es existiert auch kein Beleg für eine besondere Erbfolgeordnung für den Fall, dass der Erblasser eine Frau ist. Die Sonderbestimmungen, die es für das Antreten eines solchen Erbes gibt, berühren die Teilung zwischen Kindern aus verschiedenen Ehen und die Regelungen für die Rückgabe der Mitgift.

5. Wie in der Einleitung erwähnt und wie aus obenstehender Analyse hervorgeht, ist Åke Holmbäcks „Ätten och arvet" eine rein und konsequent nach der Wissenschaftsanschauung und den Methoden der traditionellen Rechtsgeschichte durchgeführte Studie. Die Rechte entwickeln sich nach den ihnen innewohnenden Voraussetzungen und die Intentionen dieses „völkischen Rechts" werden angeblich überkreuzt durch Eingriffe der königlichen Gesetzgebung, hier repräsentiert durch Birger Jarl[48]. Die Erbgesetze geben den Schlüssel zur gesellschaftlichen Entwicklung und bilden deren innersten Kern. Die grundlegenden Ideen der Historischen Rechtsschule sind hier kombiniert worden mit den evolutionistischen Theorien, die auf den anthropologischen Entdeckungen der zweiten Hälfte des 19. Jahrhunderts beruhen.
Eine besondere Variante der Freiheitsmythen über die Vorzeit zeigt sich in der Idee des gleichen Erbrechts in Värend, eine ältere Tradition, die in Holmbäcks Entwicklungsschema integriert ist. Gleiches Erbrecht als solches war kein unbekannter Begriff in der hochmittelalterlichen europäischen Gesetzgebung, hat aber in Schweden eine besondere Bedeutung erhalten aufgrund der konseqenten Veranschlagung eines halben Loses für Frauen im Land-

---

[48] Es ist anmerkenswert, dass sich die Angabe, Birger Jarl habe das halbe Los für die Tochter eingeführt, lediglich in der Erikschronik findet. Diese Angabe fehlt im ÖgL, obwohl dieses Recht in anderen Fällen Birger Jarl als Gesetzgeber nennt.

recht. Das gleiche Erbrecht wurde damit zu einem Symbol für die Gleichberechtigung der Geschlechter, eine unverdiente Ehre, da dies kaum die soziale Stellung der Frau beeinflusst haben dürfte, solange sie abhängig war. Dagegen muss dies Bedeutung gehabt haben bei der Verhinderung des Entstehens grosser Gutsbildungen und dürfte damit die Erwerbsmöglichkeiten von Boden gesteigert haben. Ebenso ist es möglich, dass die frühere Mythosbildung im Zusammenhang mit den Bestrebungen stand, das geltende Recht in diesem Punkt zu ändern.

Holmbäcks Arbeit exemplifiziert auch in einer ausserordentlichen Weise, wie die Belege für diese altgermanische Sippengesellschaft geschaffen wurden. Wie aus der Darstellung im zweiten Abschnitt hervorgehoben wird, hat wahrscheinlich während des Hochmittelalters ein Übergang stattgefunden von feudalrechtlichem Gemeinbesitz zu individuell bestimmten Anteilen am Erbe in den Ländern der Ostsee. Es ist diese Phase in der Entwicklung der feudalen Gesellschaftsordnung, die zur Ursprungsform der germanischen Gesellschaft gemacht wurde und die stets im Kontrast zur römischen stehend geschildert wurde. Holmbäck versucht auch gewisse Erscheinungen des feudalen Erbrechtes für seine Entwicklungstheorien auszunutzen, wie etwa die Tatsache, dass für das Eigentum der Frau eine besondere Erbregelung galt. Derartiges Eigentum bestand aus persönlichen Habseligkeiten und entsprach der Waffenausrüstung des Mannes. Nach der obigen Sichtung ist indessen klar, dass schwedisches Recht nicht zwischen unterschiedlichen Arten von weiblichem Eigentum beim Erbe unterscheidet. Es ist jedoch möglich, dass dies früher der Fall gewesen war und dass diese Regelung sowohl männlichem als auch weiblichem Eigentum galt[49]. Dagegen findet sich im feudalen Erbrecht kein Grund zu der Hypothese, die verschiedenen Erbregelungen hätten einander beeinflusst.

Holmbäcks Theorien gehen vom älteren völkischen Recht aus im Unterschied zum königlichen Recht. Im folgenden Kapitel werden die Gegenpole des völkischen und des kirchlichen Rechts vorgestellt werden.

---

[49] Es kann sein, dass der Ausdruck 'arv och orv' im DL G 11, VmL Ä 11 sich auf verschiedene Arten von Eigentum bezieht, wie im feudalen Recht.

III

Die Eheschliessung

1. In diesem Kapitel soll die Polemik zwischen Lizzie Carlsson und Ragnar Hemmer analysiert werden. Die zentrale Frage dieser langwierigen Debatte – sie begann eingangs der 50er Jahre und dauerte ein Jahrzehnt – handelte davon, ob das Beilager bereits in vorchristlicher Zeit ein Rechtsakt gewesen war oder ob es erst unter dem Einfluss des Christentums ins schwedische Eherecht aufgenommen wurde. Carlsson vertrat ersteren Standpunkt, Hemmer den letzteren.

Für den „Akt", der hier in Rede steht, wendet Carlsson den Begriff „sängledning" (etwa: Bettgeleit) an. Sie begründet dies damit, dass dies die einzige Benennung sei, die innerhalb der schwedischen Sprache auf eine Tradition zurückgreifen könne. Dieser Terminus ist in späteren, erzählenden Quellen belegt. Diesen Quellen zufolge wurde die Braut unter mehr oder weniger feierlichen Formen ins Brautlager geführt[1]. Auf die Begriffswahl Carlssons hat wahrscheinlich auch eingewirkt, dass sie den Vorgang rein symbolisch begreift. Winroth wendet „sängliggning"[2] (etwa: Bettlager) an, was in bezug auf die Landrechte angemessener erscheint, da diese nicht von Zeremonien sprechen. Hemmer benutzt das Wort „biläger", das eine Übersetzung des deutschen „Beilager" ist. Dieser Begriff ist innerhalb der Literatur der gebräuchlichste und soll hier angewandt werden.

Zur Bestärkung ihrer Ansicht, dass das Beilager symbolisch aufzufassen sei, führt Carlsson eine Anzahl Bestimmungen aus deutschen Rechtsquellen an[3]. Im Tübinger Stadtrecht aus dem Jahre 1493 heisst es, wenn zwei Personen beabsichtigten, die Ehe einzugehen und einer von ihnen sollte sterben, „ehe sie beischlafen und die Ehe vor der Kirche gemacht ist", so soll keiner

---

[1] *Carlsson,* Jag giver I, 162 ff. In bezug auf das Beilager stützt sich Carlsson in diesem Buch im grossen und ganzen auf dieselbe Argumentation wie in der Polemik gegen Hemmer, und es wird hier neben den polemischen Schriften angerufen.
[2] *A. Winroth,* Äktenskaps ingående, 55 f.
[3] *Carlsson,* Jag giver I, 147 ff.

von ihnen den anderen beerben, sondern das Eigentum solle an die nächsten Verwandten fallen. Über das Beilager heisst es: ,,Und dann haben sie beigeschlafen, wann die decken den mann mit der frauen beschlägt". Ähnliche Bestimmungen sollen sich in deutschsprachigen Weistümern aus dem 14., 15. und 16. Jahrhundert finden. Auch von anderen Brauchtümern ist die Rede. Sobald die Frau ihren Gürtel vor dem Bett des Mannes gelöst habe, erhalte sie das Eherecht, auch wenn der Mann dann plötzlich sterben sollte. Ebenso erhalte der Mann durch dieselbe Zeremonie Anteil am Eigentum der Frau. Laut Sachsenspiegel III:45:3 trat das Heiratsrecht in Kraft ,,alse sie in sin bedde trit". Diese Terminologie stimme mit den skandinavischen Landrechten überein.

Eine Ausnahme von der Regel über den symbolischen Charakter des Beilagers ist nach Ansicht Carlssons das Mühlhäuser Reichsrechtsbuch vom Anfang des 13. Jahrhunderts. In diesem soll der Vater der Frau nach der ersten gemeinsamen Nacht der Neuvermählten die Vormundschaft dem Manne übergeben haben. Dies erkläre sich daraus, dass dieses Recht eine spätere Entwichlungsstufe darstelle[4]. Der entscheidende Nachweis für den ursprünglich symbolischen Charakter des Beilagers soll ein Passus in der Frankenchronik des Gregor von Tours sein, in dem eine Hochzeit geschildert wird. Die betreffenden Worte lauten: ,,... Adveniente vero die celebrata sollemnitate nuptiarum in uno strato ex more locantur"[5]. Dieser Abschnitt des Werkes soll in den 70er Jahren des 6. Jahrhunderts entstanden sein. ,,Es sollte als selbstverständlich angesehen werden können", schreibt Carlsson, ,,dass das Bettgeleit, das eine gemeingermanische Rechtshandlung ist, denselben Ursprung hat und von Anfang an dieselbe Ausformung bei allen germanischen Völkern hatte ..."[6]

Für skandinavische, ausserschwedische Rechte wird norwegisches[7] und isländisches Recht[8] berufen.

Die altschwedischen Landrechte haben wechselnde Ausdrucksweise. Hier folgt eine Zusammenstellung der wichtigsten Bestimmungen über das Beilager.

---

[4] *Carlsson,* Jag giver I, 152.
[5] *Carlsson,* JFT 1958, 281, Anm. 1.
[6] *Carlsson,* Jag giver I, 151.
[7] Borgartings Christenret 25.
[8] Staðarhólsbók 167.

VgL I G 2: þaghar firi faest aer skilt ok handum saman takit þa aer tilgaevaer allaer intaer aen vingaevaer eigh fyr aen þer komae baeþi a en bulstaer ok vndir ena bleo[9].

VgL II G 2 hat eine ähnliche Bestimmung, in der auch angegeben wird, dass die Morgengabe am ,,Tage danach'' übergeben werden soll.

VgL I G 9:2: Sva aer firi gipt at skiliae. þaghaer þer kumae baþi a en bulstaer ok vnþir ena bleo þa a hvn þridiungh i bo ok III markaer at hindradax gaef af hans lot[10].

VgL II G 16 ebenso wie oben.

ÖgL G 7:pr: Nu siþan þön aeru uighz ok ganga þön baþin ippinbarlika i siang saman ae huat haeldaer þön giptas aellaer egh: þa aer hon kumin til alzs raetz maeþ hanum ok han a baþi suara ok sökia firi hana[11].

ÖgL G 10:2: nu haua fraendaer uingaef sina int þaghar faest kombaer a malit gipta man egh förra aen þön koma baþin a en bulstaer ok undir ena blöiu[12].

DL G 2: þe sum gen kunu riþa skulu haenne heem warþa firi allum misfallum þaer til hon a blöio oc bolstir combir þa aer brud i bondans sins wardnaþi[13].

SdmL G 3: Bruđmaen sculu bruđ hem til bonda sins warþa oc i siang hans[14].

Ähnliche Bestimmungen finden sich im UL Ä 2:1, HL Ä 2:1, und VmL Ä 2:1. Es ist möglich, dass auch Bestimmungen wie im UL Kk 15:1: *Swa ok aen þe hion aeru laghlikae samaen komin*[15] das

---

[9] *VgL I G 2:* Sobald die Verlobung geschehen ist und man die Hände zusammengelegt hat sind alle Zugaben erworben, die Freundesgaben aber nicht bevor beide auf ein Polster und unter eine Decke kommen.

[10] *VgL G 9:2:* Folgendermassen soll bei der Heirat gesagt werden: sobald sie zusammen auf ein Polster und unter eine Decke kommen, so besitzt sie ein Dritteil des ehelichen Besitzes und als Morgengabe drei Mark seines Loses.

[11] *ÖgL G 7:pr:* Sind sie dann getraut und gehen sie beide offensichtlich zusammen ins Bett, sei es die Heirat ist erfolgt oder auch nicht, so ist sie in alle Rechte bei ihm eingetreten, und er muss sie bei Gericht verteidigen und ihre Klage führen.

[12] *ÖgL G 10:2:* Die Verwandten erhalten ihre Freundschaftsgabe sobald die Verlobung geschehen ist, der Vormund (der Frau) aber nicht eher als die auf ein Polster und unter eine Decke gekommen sind.

[13] *DL G 2:* Diejenigen, die die Braut zum Treffpunkt fahren, sollen sie heimführen und allen Schaden verantworten, bis sie auf Polster und Decke gelangt ist; dann ist die Braut in die Obhut ihres Mannes gelangt.

[14] *SdmL G 3:* Die Brautführer sollen verantwortlich sein für die Braut auf ihrem Weg zum Bräutigam und zu seinem Bett.

[15] ,,Wenn das Paar ordnungsgemäss zusammengekommen ist.''

Beilager betreffen. Ähnliches findet sich im VmL Kk 20:pr und DL G 11:5. Diese späteren Belege wurden von Carlsson jedoch nicht angeführt. Sie geht davon aus, dass das Beilager in den kirchenrechtlichen Abschnitten der Landrechte im allgemein nicht erwähnt wird.

Die Frage ob das Beilager nur symbolisch war, erhielt für die Diskussion grosse Bedeutung, da Carlsson behauptete, hier finde sich ein tiefgreifender Unterschied zwischen kanonischer und germanischer Rechtsanschauung. Nach kanonischem Recht ist die Ehe erst nach erfolgter copula carnalis unauflöslich. Nach alt-schwedischen Landrecht habe dagegen eine gesetzliche Ehe schon dann bestanden, wenn die Ehegatten das eheliche Bett betreten hatten, ungeachtet der Tatsache, ob die copula carnalis erfolgte oder nicht. Dies stehe im Gegensatz zu kanonischen Rechts-regeln[16].

Hemmers Anschauung ist unklarer. In einer frühen Verlautba-rung behauptet er, dass ,,Die Bestimmungen der schwedischen Landrechte zweifellos eine derartige Ausformung erfahren haben, dass die Ehe unmittelbar nachdem die Brautleute das eheliche Bett eingenommen haben vollzogen ist. Diese Formulierung schliesst also die copula carnalis als juristisch einwirkenden Faktor direkt aus"[17]. Nach Carlssons Einspruch formuliert er dies wie folgt: ,,Man könnte ja annehmen, wenn das schwedische Recht sich die kirchliche Auffassung von der copula carnalis als consummatio matrimonii zu eigen gemacht hätte, die Konsequenz gewesen wäre, dass die Landrechte zum Vollzug der Ehe sich nicht nur mit dem Beilager begnügt sondern auch die copula carnalis gefordert hätten. Hierbei ist indessen zu beachten, dass ein direkter Nachweis der copula carnalis wegen der Natur der Sache nicht in Frage kom-men konnte. Um die Möglichkeit kirchlichen Einflusses in bezug auf die Ausformung des Beilagers als eine für den Vollzug der Ehe notwendigen Vorgang offen zu halten, musste es daher gänzlich hinreichend sein, wenn mit dem Beilager, das Einnehmen der Bett-statt als solches, sowohl in kirchlicher als auch in volkstümlicher Auffassung die copula carnalis ohne weiteres als gegeben voraus-

---

[16] *Carlsson*, Jag giver I, 196 f.
[17] *Hemmer*, JFT 1952, 337.

gesetzt wurde"[18]. Hemmer führt auch Äusserungen Schwerins und Planitz' an, die darauf hinauslaufen, dass das symbolische Beilager von der katholischen Kirche als hinreichender Nachweis für die nachfolgende copula carnalis betrachtet wurde[19].

Für ein ausschliesslich symbolisches Beilager spricht sich unter anderen auch Amira aus[20].

Eine andere Anschauung, die sich in der Literatur geltend machte, sieht das Beilager ohne copula carnalis als eine symbolische Abschwächung eines früheren Beilagers mit copula carnalis an. Diese Ansicht ist unter anderen von Winroth vorgeführt worden, wird aber aus entwicklungshistorischen Gründen von Hemmer abgewiesen[21] Eine ähnliche Haltung findet sich bei Eckhardt[22] und bei Friedberg[23], die vermuten, das Beilager sei lediglich beim Adel symbolisch gewesen. Schultze vertritt unter anderen den Standpunkt, ausschliesslich die copula carnalis sei rechtswirksam gewesen. Nach Ansicht des letzteren ist eine Unterscheidung zwischen symbolischem Beilager und copula carnalis „mit urwüchsiger Volksanschauung, die ohne weiteres mit dem einen das andere als gegeben annimmt, nicht recht vereinbar"[24], eine Äusserung, die Hemmer billigend zitiert.

In der vorherrschenden Anschauung ist oder war das Beilager also gleichbedeutend mit copula carnalis. Dass die rechtlichen Wirkungen der Ehe daran geknüpft wurden, ist als selbstverständlich vorausgesetzt worden, sei es man setzt, wie etwa Winroth und Friedberg, dies als ein Resultat kirchlicher Einflussnahme voraus, sei es man geht vom Beilager als einem vorchristlichen Rechtsakt aus, so wie Lehman es tut[25]. Beweggründe für die unterschiedlichen Anschauungen wurden nicht angeführt. Dagegen ist es ungewöhnlicher, den Vorgang als ursprünglich symbolisch zu begreifen. Hemmer hat ebenfalls die Frage gestellt, warum symbolisches Bei-

---

[18] *Hemmer*, JFT 1955, 446.
[19] Ibid.
[20] *K. Amira*, Obligationenrecht II, 675.
[21] *Hemmer*, JFT 1952, 331, 338.
[22] *K. A. Eckhardt*, Beilager und Muntübergang zur Rechtsbücherzeit. SZ/Germ 1927, 195 f.
[23] *E. Friedberg*, Das Recht der Eheschliessung, 22 f.
[24] *A. Schultze*, Zum altnordischen Eherecht, 60.
[25] *K. Lehman*, Verlobung und Hochzeit, 82.

lager für den Vollzug der Ehe im vorchristlichen Recht notwendig gewesen sein soll, und stellt fest, dass Carlsson keine Antwort darauf gegeben hat[26]. Carlsson hat indessen später der Ansicht Ausdruck gegeben, das Beilager sei ursprünglich ein Fruchtbarkeitsritus gewesen, der als solcher in christlichem Kleid fortgelebt hätte[27].

2. Bis jetzt ist das Beilager als ein ziviler Rechtsakt behandelt worden. Es existierte daneben auch ein kirchlicher Akt, der dagegen keine Rechtshandlung darstellte. Darüber findet sich in Carlssons erster Schrift eine ausführliche Darstellung[28].

Der früheste Beleg findet sich − so Carlsson − im Sacramentarium gallicanum, dessen Entstehung, wahrscheinlich in Irland, spätestens im 7. Jahrhundert angesetzt wird[29]. Ungefähr um 900 entstand das Rituale Dunelmense, ,,König Alfreds Ritual'', mit der Einsegnungsformel für die Schlafkammer, dem Benedictio thalami, das später dem Akt seinen Namen gab und das ganze Mittelalter hindurch in einer Anzahl anderer Rituale auftritt. Etwas verkürzt aber im übrigen wortgetreu ist es in dem im Jahre 1525 gedruckten Linköpingsmanual aufgenommen. Schliesslich wurde es in die schwedischen evangelischen Handbücher während des 16. und 17. Jahrhunderts aufgenommen. Etwas verändert wurde es wiederum in den Handbüchern der Jahre 1693, 1811 und 1917 aufgenommen. Erst im Handbuch für 1942 trat es nicht mehr auf.

In mehreren Ritualen finden sich Anweisungen für den Priester, die ein Bild davon vermitteln, wie der Akt vonstatten ging. Nach dem Linköpingsmanual sollte der Priester sowohl das Benedictio thalami als auch den Segen über das Brautpaar sprechen. Nach anderen Ritualen wurde zu geweihtem Brot und Wein geladen und Räucherwerk im Raum verbreitet.

Nach einem in jedem Fall jüngeren Ritual war das Benedictio thalami nicht obligatorisch. Die schwedische Kirchenordnung aus dem Jahre 1571 schreibt es freilich vor, jedoch nur für den Fall, dass es die Umstände erlaubten. Der Akt war jedoch gebräuch-

---

[26] *Hemmer,* SZ/Germ 1961, 306 f.
[27] *Carlsson,* Jag giver I, 207.
[28] *Carlsson,* VSLÅ 1951, 74 ff.
[29] *Carlsson,* VSLÅ 1953, 62.

lich in Schweden, im Gegensatz zu beispielsweise Norwegen, wo er in der Kirchenordnung von 1607 ausdrücklich verboten wurde. Mit der Zeit wurde er unmittelbar hinter die Trauung verlegt.

Das Verhältnis zwischen dem zivilen und dem kirchlichen Akt spielte für die Diskussion eine grosse Rolle; und für Carlsson ist diese Frage eine zentrale Frage geworden. Unten folgt eine Zusammenstellung der wichtigsten Einlagen.

Der zivile und der kirchliche Akt sind laut Carlsson einander so ähnlich, dass der eine aus dem andern hervorgegangen sein müsse. Dass der kirchliche Akt nicht der primäre sein kann, ergebe sich aus folgendem.

Das Linköpingsmanual ist das älteste schwedische Formular des kirchlichen Aktes. Wir wissen nichts darüber, wann dieser der Kirche in Schweden zugestanden wurde, aber es dürfte als selbstverständlich anzusehen sein, dass das Brautpaar nach der kirchlichen Ordnung getraut sein musste, bevor der Priester das Benedictio thalami verrichtete. Wäre aber der kirchliche Akt der ursprüngliche, so hätte im Verlauf weniger Jahrzehnte folgender Entwicklungsprozess stattgefunden haben müssen: die Kirche schaffte zunächst eine kirchliche Zeremonie ohne rechtliche Wirkung, diese Zeremonie sei nach und nach in einen zivilen Rechtsakt mit weitreichenden Konsequenzen umgestaltet worden. Das merkwürdige an diesem Schnellprozess trete in noch schärferen Konturen gegen den Hintergrund der Tatsache hervor, dass das VgL I keine Trauung kenne[30]. Der kirchliche Akt habe nirgendwo rechtliche Auswirkungen gehabt; und man finde auch kein Anzeichen dafür, dass die Kirche bestrebt gewesen sei, die Zeremonie in einen Rechtsakt umzuwandeln. Es handelte sich um einen Weiheakt und nicht mehr. Die Zeremonie des Bettgeleites finde sich auch nicht im kanonischen Recht. Ebensowenig existiere die geringste Spur davon in den kirchenrechtlichen Abschnitten der Landrechte. Nichts zeuge davon, dass dieser als obligatorisch angesehen wurde[31].

In starkem Kontrast hierzu stehen laut Carlsson die zielbewussten Bestrebungen der Kirche, die Trauung unter Ausschal-

---

[30] *Carlsson*, VSLÅ 1956, 117.
[31] *Carlsson*, VSLÅ 1953, 64.

tung der alten germanischen Heirat in einen Rechtsakt umzuwandeln, letzteres in Übereinstimmung mit der allgemeinen Tendenz, Laieneinfluss in kirchlichen Institutionen zu eliminieren.
Jetzt dauerte es aber länger als ein halbes Jahrtausend, bevor dies
der Kirche glückte. Für die Zeit der Entstehung der Landrechte
habe man lediglich erreicht, dass eines der Landrechte, das Ost-
götarecht, die Trauung als obligatorisch ansah, aber nicht einmal in
diesem Recht habe man die alte Hochzeit ganz zu verdrängen ver-
mocht. Die alte Hochzeit sei im Prinzip bis zum Jahre 1734 rechtskräftig gewesen[32].

In der Frage des Verhältnisses zwischen zivilem Rechtsakt und
Benedictio thalami änderte Hemmer den Standpunkt im Verlaufe
der Auseinandersetzung. In seinem ersten Beitrag schreibt er, der
kirchliche und der zivile Akt würden eine Einheit bilden und alle
Gründe sprächen dafür, dass der eine Ursprung des anderen gewesen sei. Seiner Ansicht nach war der kirchliche Akt der primäre[33]. Später legte er diese seine Äusserung dahingehend aus,
dass der kirchliche Einfluss auf das zivile Recht sich geltend gemacht habe, nicht durch den kirchlichen Akt als solchen, sondern
durch die Rezeption der Anschauung, die diesem Akt zugrunde
liege. ,,Der kirchliche Einfluss muss sich daher auf indirektem
Wege bemerkbar gemacht haben, durch ideelle Beeinflussung. Das
zivile Recht eignete sich die Auffassung der Kirche über die copula
carnalis als eine consummatio matrimonii an und verband als
Folge davon erst teilweise, dann vollständig den rechtlichen Vollzug der Ehe an das Beilager. Eine andere Sache ist dann, dass
geistliche Personen möglicherweise indirekt die Entwicklung des
zivilen Rechts hin zu einer Übereinstimmung mit der kirchlichen
Anschauung beeinflussen konnten"[34]. Diese Überführung der
rechtlichen Wirkung der Ehe von einem früheren Moment auf ein
späteres bezeichnet Hemmer als eine ,,technisch–juristische
Frage der Regelung, da die rechtliche Wirkung ihren ursprünglichen Charakter beibehalten" habe[35].

Hemmer kommentierte seine veränderte Betrachtungweise

[32] Loc. cit. 65.
[33] *Hemmer*, JFT 1952, 339.
[34] *Hemmer*, JFT 1955, 449.
[35] *Hemmer*, JFT 1958, 134.

folgendermassen: „Der Grund, auf den ich in allen meinen Schriften gebaut habe, ist der, dass die kirchliche Regelung der copula carnalis als einer consummatio matrimonii die schwedische Zivilgesetzgebung beeinflusst hat. In meiner ersten Schrift habe ich angenommen, dass dies auf direktem Wege geschehen sei, später habe ich versucht aufzuzeigen, dass es auf indirektem Wege geschehen ist. In beiden Fällen *geht es folglich nur um den Weg, den ein und derselbe Einfluss genommen hat.* Was ich in meinen späteren Schriften angeführt habe, ist lediglich eine erweiterte Anwendung derjenigen Regel, die ich schon in meiner ersten Schrift vorausgesetzt hatte"[36].

Hemmer betrachtet die Argumentation zur Trauung deswegen als unhaltbar, weil die Trauung in der katholischen Kirche erst nach der Synode von Trident im Jahre 1562 eine notwendige Voraussetzung für das Zustandekommen einer Ehe wurde[37]. Carlsson antwortet, die Tatsache, dass das päpstliche Verlangen erst während der tridentinischen Synode sein Ziel erreichte, sei eine weitere Bestätigung ihrer Auffassung[38].

3. Sämtliche Belege Carlssons für den zivilen Rechtsakt in den sogenannten germanischen Rechten rühren indessen aus ziemlich später Zeit. Auf diesen Vorwurf antwortete sie, dass man nicht *e silentio* folgern dürfe, dieser habe nicht eher existiert[39]. Sie meint, das Beilager sei bereits in „urgermanischer" Zeit ein rechtlicher Vorgang gewesen, d.h. in dem Urzustand, den die Germanisten für die Zeit vor der angeblichen Teilung der germanischen Stämme konstruiert haben. Als Nachweis für den allgemein heidnischen Charakter des Beilagers führt sie eine von Catull geschilderte Hochzeitszeremonie an sowie ähnliche Bräuche bei Juden und Indern[40].

In bezug auf die Juden führt Carlsson keine eigene Belege an, sondern verweist auf Freisen. Eine Kontrolluntersuchung derjenigen Literatur, die Carlsson bei diesem gefunden hat, ergibt

---

[36] *Hemmer*, JFT 1958, 298.
[37] *Hemmer*, JFT 1955, 444.
[38] *Carlsson*, VSLÅ 1956, 120 und Anm. 102.
[39] *Carlsson*, Jag giver, I, 192.
[40] *Carlsson*, VSLÅ 1951, 59, 1953, 75 ff.

folgendes Resultat. Der Beleg aus Psalm 19, Vers 6 lautet in der Übersetzung: „... und dieselbe ist wie ein Bräutigam, der aus seiner Kammer geht ...", Joel 2:16: „Der Bräntigam gehe aus seiner Kammer, und die Braut aus ihrem Gemach". In Ruth 3:9 geht es nicht um Hochzeit, sondern Ruth geht vielmehr unbeobachtet zu Boas und legt sich zu seinen Füssen: „Und er sprach: Wer bist du? Sie antwortete: Ich bin Ruth, deine Magd. Breite deine Decke über deine Magd; denn du bist der Erbe." Das Kap. 29 des ersten Mosebuches spricht von Jakobs Dienst bei Laban; und während des Hochzeitsgelages am Abend nahm laut 29:23 Laban „seine Tochter Lea, und brachte sie zu ihm; und er ging zu ihr"[41].

Auch in bezug auf das altindische Recht führt Carlsson keine eigenen Belege an, sondern verweist auf die Literatur. Sie führt eine Anzahl Sitten und Gebräuche an, die die Übereinstimmung zwischen altindischem und altschwedischem Recht zeigen sollen. Als Beispiel wird genannt, dass es vor allen der Vater der Frau war, der seine Einwilligung zur Hochzeit geben musste, danach andere Verwandte in einer bestimmten Reihenfolge. Dies ist jedoch im indischen Recht nicht dasselbe wie im schwedischen Recht. In beiden findet sich das Freiertum sowie die Heimführung der Braut. Die Formel der Heimführung soll „fast identisch" mit der schwedischen sein[42].

Die indische Formel liegt in einer Übersetzung vor, von der gesagt wird, sie entspreche „ungefähr" dem Original. Brautfahrt und Bettgeleit finden sich in beiden Rechten und ebenso Brauchtümer wie Brautbad und Besteigen des Brautsteins.

Carlsson will mit den indischen Belegen nicht nur den heidnischen Ursprung dieser Brauchtümer zeigen, sondern auch die innere Verwandtschaft zwischen diesen und dem schwedischen Recht. „Zu einer anderen Schlussfolgerung, als dass diese einen gemeinsamen indogermanischen Ursprung haben, kann man kaum gelangen"[43].

Der wichtigste Beleg ist nach Carlsson der Bericht des Gregor von Tours in seiner Frankenchronik. Der Beleg ist derselbe, der schon angeführt wurde, um den Nachweis zu führen, dass das

---

[41] *J. Freisen,* Geschichte des canonischen Eherechts, 94.
[42] *Carlsson,* VSLÅ 1953, 78.
[43] Loc. cit. 79.

Beilager ein symbolischer Akt sei. Die Worte, die von Interesse sind, lauten also: ,,Adveniente vero die, celebrata sollemnitate nuptiarum, in uno strato ex more locantur". ,,Es dürfte schwerlich bestritten werden können", sagt Carlsson, ,,dass diese Schilderung auf *das Bettgeleit als zivilen Rechtsakt* zielt"[44].

Von diesem Beleg sagt Carlsson, dass er wahrscheinlich der älteste Beleg sei, der in bezug auf germanisches Recht aufzutreiben sei: ,,Meiner Ansicht nach haben wir hier ein starkes, wenn nicht entscheidendes, Indiz dafür, dass *das Bettgeleit bei den germanischen Völkern ein Rechtsakt aus vorchristlicher Zeit war*"[45].

In diesen Belegen findet sich indessen nichts, was darauf deuten würde, dass das Beilager ein Rechtsakt gewesen war[46]. Wegen der unzulänglichen Hinweise auf die Quellen erhält man auch in bezug auf die Heiratsformel keinerlei Anschaulichkeit von den behaupteten Ähnlichkeiten im indischen und schwedischen Recht – es geht keinesfalls hervor, dass dieses etwas über das Beilager enthält.

Aus dieser Zusammenstellung dürfte hervorgehen, wie unbefriedigend Carlssons Belege sind, auch wenn man diese veraltete Methode anwendet, die von dem Glauben an ein indogermanisches Urrecht oder von einem ursprünglich allgemeingermanischen Recht ausgeht.

Dieser Teil der Diskussion kann demzufolge mit der Feststellung abgeschlossen werden, dass Carlsson den Nachweis für ein heidnisches germanisches Beilager nicht erbracht hat. Quellen zu einem vorchristlichen germanischen Recht existieren ja überhaupt nicht; aber dennoch ist es bemerkenswert, dass Carlssons Belege für das Beilager so spät anzusetzen sind. In den sogenannten Volksrechten des europäischen Festlandes und Englands wird kein Beilager erwähnt. Carlssons Argument gegen Schlussfolgerungen e silentio ist an dieser Stelle nicht angebracht, da es sich hier um umfangreiches Material aus verschiedenen Teilen Europas und

---

[44] *Carlsson,* JFT 1958, 281. Siehe auch JFT 1958, 280ff., SZ/Germ 1960, 316ff., Jag giver I, 194f.
[45] JFT 1958, 281.
[46] Hemmer hat Carlsson an diesem Punkt ausführlich kritisiert, besonders in der Frage des Beleges von Gregor v. Tours, JFT 1958, 292ff.

aus mehreren Jahrhunderten handelt. Carlssons Beleg für den kirchlichen Akt ist weit älter und stützt keinesfalls ihre These, dass sich dieser Akt aus dem zivilen entwickelt habe.

4. Hemmer hat auf folgende Weise seine Anschauung über das Beilager zusammengefasst:[47] ,,Wenn ich zu dem Resultat gelangt bin, dass das Beilager als Rechtsakt nicht Bestandteil des vorchristlichen schwedischen Rechts war, so gründet sich dies einmal auf eine entwicklungsgeschichtliche Untersuchung der Vorschriften der Landrechte über den Vollzug der Ehe. Der Mehrzahl dieser Vorschriften zufolge gehören hier zwei Akte hin, Übergabe oder 'Tradition' der Braut und Beilager, die ich in ihrem Charakter als grundverschieden ansehe. Ersteres ist ein Ausdruck für die Auffassung, dass die Frau lediglich Objekt des Heiratsvertrages ist, letzteres ein Ausdruck für die Auffassung, dass sie eine mit dem Manne rechtlich gleichgestellte Person ist. Aus all unserer Kenntnis über das ältere germanische Recht muss die Übergabe ein Aufzeiger für die ältere Auffassung über die rechtliche Stellung der Frau beim Vollzug der Ehe sein. Es ist auch undenkbar, dass zwei so wesensverschiedene Akte nebeneinander Bestandteil des ältesten germanischen Eherechtes gewesen sein sollen. Dies würde auch beinhalten, dass die Ehe in Abschnitten vollzogen wurde, was kaum mit einer ursprünglich primitiven Auffassung zu vereinbaren ist".

,,Dafür, dass die Übergabe ursprünglich der abschliessende Akt gewesen ist, können verschiedene allgemeine Gründe abgerufen werden, u.a. dass das Wort ,,gipt" eigentlich ,,gebend" (schw.: givande) bedeutet, d.h. ein (Über-) Geben der Braut, die Symbolik des Aktes, ebenso wie ,,gift" in den mittelalterlichen Rechten die allgemeine Bedeutung ,,Ehe" hat. Der wesentliche Unterschied zwischen diesen beiden Akten tritt in der Terminologie hervor, die das Beilager bezeichnet".

Im weiteren sagt er: ,,Meine Auffassung, das Christentum habe entscheidenden Einfluss auf das Eherecht der germanischen Völker ausgeübt, gründet sich auf die Annahme, dass die Germanen bei ihrer Berührung mit dem Christentum nur die Kaufehe kannten"[48]. Und über die Kaufehe heisst es: ,,Wenn der Ehever-

---

[47] *Hemmer*, JFT 1958, 128 ff.
[48] *Hemmer*, JFT 1958, 145.

trag ursprünglich den Charakter eines Vertrages über den Austausch zweier als äquivalent angesehener Leistungen hatte, so liegt es in der Natur der Sache, dass die Ehe vollzogen war, wenn der entsprechende Gegenwert für die Braut hinterlegt und die Braut dem Bräutigam zur Ehe übergeben war. Dies beinhaltet, dass das Beilager keine rechtliche Bedeutung beim Zustandekommen der Ehe hatte"[49].

Hemmer weist darauf hin, dass ein Übergabeakt im germanischen Recht, dort wo er vorkommt, den Vollzug einer Rechtsangelegenheit angibt. ,,Wenn man sich in bezug auf den Vollzug der Ehe nicht mehr mit der feierlichen Hinführung der Braut nach vorhergegangener Übergabe begnügte, sondern darüber hinaus das Beilager forderte, ... muss (dies) im Wesentlichen auf einem ideologischen Grund beruhen. Und als solcher kann nur Einfluss von der kanonischen Auffassung von der copula carnalis als consummatio matrimonii in Frage kommen. Kann man aufzeigen, dass die Ehe nach älterem germanischen Recht früher als erst im Beilager vollzogen war, ergibt sich die Antwort auf die Frage, wie das Beilager zu einem Rechtsakt wurde ganz von selbst"[50]. Seine Auffassung über den verschiedenartigen Charakter der beiden Akte hat Hemmer auf folgende Weise entwickelt: ,,Es ist doch eine anerkannte Tatsache, dass die Frau im germanischen Recht nicht Subjekt des Ehevertrages, der Verlobung, war, sondern in jedem Fall nur ein Objekt dafür und dass ihr Wille keine rechtliche Bedeutung für das Zustandekommen der Ehe hatte"[51]. Dasselbe gelte für die Hochzeit. Beim Beilager dagegen ist die Braut selbst der eine rechtlich handelnde, ein mit dem Bräutigam gleichgestellter, Teil. Den Beweis dafür findet Hemmer im ÖgL G 7:pr, wo das Beilager so beschrieben werde, dass ,,sie (die Braut und der Bräutigam) beide offensichtlich zusammen ins Bett gehen[52]. DieWortlaut betone also, dass die aktive Mitwirkung beider notwendig sei. Ähnliche Ausdrücke seien, dass ,,die beiden (zusammen) auf ein Polster und unter eine Decke kommen oder gekommen sind (ÖgL GB 10:2; VgL GB 2:pr=II GB 2, I GB 9:2=II GB 16)". Dass

[49] Loc. cit. 139.
[50] Loc. cit. 145f.
[51] *Hemmer,* JFT 1952, 332ff.
[52] Loc. cit. 333.

das Beilager, wo der Mann und die Frau folglich gleichgestellt seien, zum Hauptakt beim Schliessen einer Ehe wurde, steht also – so Hemmer – in direktem Gegensatz zur germanischen Anschauung, dagegen jedoch im Einklang gerade mit der kirchlichen. In der Lehre der römisch–katholischen Kirche, die sich auf spätrömisches Recht begründete, wurde eine Ehe nämlich durch freiwillige Übereinkunft der zukünftigen Ehepartner geschlossen. Für das Zustandekommen einer unauflöslichen Ehe muss darüber hinaus die copula carnalis folgen. Die wurde im kanonischen Recht schliesslich im Decretum Gratiani, ausgearbeitet während der Jahre 1141–50, festgelegt[54]. ,,Das starke Interesse, das die römisch-katholische Kirche bereits in einem frühzeitigen Stadium für das Beilager zeigte, erhält seine Erklärung dadurch, dass dies der einzige Bestandteil der alten zivilen Ordnung war, welcher der kirchlichen Anschauung von der Ehe als einer Vereinigung zweier gleichgestellter Individuen gemäss der Ordnung der Natur entsprach"[55].

Hemmer zitiert auch Olivecronas Äusserung, dass es ,,nicht früher als durch die christlich-germanische Zivilisation gekommen sei, dass der Begriff *einer sowohl für den Mann als auch die Frau gemeinsamen Gütergemeinschaft sowie eines Eigentumsrechtes der Frau in dieser Gütergeminschaft* voll ausgebildet wurde", und er schliesst: ,,Gütergemeinschaft zwischen den Eheleuten ist mit anderen Worten ein Ausdruck für die christliche Auffassung von der rechtlichen Gleichstellung der Ehegatten"[56]. Hier tritt wiederum die ,,rechtliche Gleichstellung" auf, freilich nicht in bezug auf das Beilager als solches, sondern in bezug auf die Rechtswirksamkeit, die damit in Kraft tritt.

Hemmer meint, der unterschiedliche Charakter, den er an beiden Akten entdeckt hatte, sei ein hinreichender Beweis für seine Ansicht, was aus seinen früheren Äusserungen hervorgeht. Im weiteren vertritt er jedoch die Ansicht, man müsse alle Regelungen untersuchen, die nach altschwedischem Recht für das Schliessen einer Ehe galten. Der Hauptteil seines Beitrages zu dieser Frage

---

[53] Loc. cit. 334.
[54] *Hemmer*, JFT 1952, 329.
[55] *Hemmer*, JFT 1955, 443 und 1952, 339.
[56] *Hemmer*, JFT 1955, 437.

handelt von seiner entwicklungsgeschichtlichen Untersuchung des Eherechtes der Landrechte. Die Schlussfolgerungen dieser Untersuchung sieht er durch Bestimmungen in anderen germanischen Rechten als bekräftigt an.

Hemmers Auslegungen der Bestimmungen der Landrechte über die Eheschliessung haben Gegenbeiträge von Carlsson veranlasst; und der grösste Teil der Debatte handelte davon, ob diese Auslegungen richtig waren oder nicht. Von diesem Teil der Debatte sehe ich ab und konzentriere mich stattdessen auf die prinzipiellen Argumente.

5. Ich habe deswegen Hemmer so ausführlich zitiert, weil sich mit seinem Standpunkt auf eine sehr konkrete Weise die wichtigste und für die allgemeine Auffassung bedeutungsvollste der rechtshistorischen Mythen exemplifizieren lässt, nämlich der Mythos über das Christentum als ausgleichender und humanisierender Faktor der gesellschaftlichen Entwicklung. Hemmer knüpft hier explizit an die deutsche Tradition auf diesem Gebiet an, vor allem an Sohm. Bei den deutschen Wissenschaftlern treten hier ebenso wie in der Frage des Prozesses die rechtspolitischen Motive offen hervor.

Nach Ansicht Eichhorns wurde die Ehe des älteren Rechts mit der Heimführung der Braut und dem Beilager rechtskräftig[57]. Dies verblieb lange Zeit die vorherrschende Ansicht, bis Sohm im Jahre 1875 in *Das Recht der Eheschliessung* damit brach[58]. Nach Ansicht Sohms beinhaltete bereits die Verlobung eine bindende Absprache, die im Prinzip die Ehe begründete[59]. Rechtliche Auswirkungen, wie etwa die Gütergemeinschaft, die durch das Beilager entstehe, gehören – so Sohm – in eine spätere Zeit. Sohm baut hier auf diejenige wissenschaftliche Ideologie auf, die sich während der zweiten Hälfte des 19. Jahrhunderts herausbildete und die lehrte, dass Ehen, in denen der Mann nicht volles Besitzrecht über das Eigentum der Ehefrau habe, Verwaltungsehen geheissen wurden und einer älteren und niederen Entwicklungsstufe angehörten. Da-

---

[57] *Eichhorn*, Deutsche Staats- und Rechtsgeschichte I, § 54.
[58] Im Zusammenhang hiermit gibt Sohm eine Übersicht über die älteren Theorien, Eheschliessung, 88 ff.
[59] *Sohm*, Eheschliessung, 78.

gegen gehöre die Ehe mit voll ausgeprägter Gütergemeinschaft, die genossenschaftliche Ehe, in der der Mann volles Besitzrecht auch am Eigentum der Ehefrau hatte, einer sittlich höheren Stufe an[60]. Es sind die gleichen Gedanken, die wir in Olivecronas Arbeit antreffen[61].

Sohms Arbeit hat eine kirchenpolitische Zielsetzung, die in der Einleitung klar ausgesprochen wird. Er will durch eine Untersuchung der Natur der Ehe im alten deutschen Recht zeigen, dass die Einführung einer obligatorischen Zivilehe die alte Ordnung nicht erschütterte. Für seine Zielsetzung ist es wesentlich, zeigen zu können, dass die Rechtswirksamkeit der Ehe bereits bei der Verlobung eintrat[62].

Die Ausführungen über die rechtliche Gleichstellung beim Beilager sind indessen – wenn das möglich ist – bei Hemmer noch weniger fundiert als bei Sohm. Letzterer versucht anhand der Quellen zu zeigen, dass die Vormundschaft des Geschlechts sich in der ersten Hälfte des deutschen Mittelalters abschwächte und die Frau sich daher selbständig verheiraten konnte. Sohms Beleg hierfür ist ein einziges Eheformular aus der zweiten Hälfte des Mittelalters, das weder den Vater noch einen anderen Anverwandten als Vollzieher der Trauuung nennt, sondern „jemanden"; ebenso zieht Sohm einige Beispiele aus der Literatur dafür heran, dass der dritte Mann für die Aufgabe ausgewählt wurde[63]. Sohms Schlussfolgerung ist die, dass „damit die Handlungs- och Verfügungsfähigkeit der Frau grundsätzlich auf die gleiche Linie mit der des Mannes trat"[64].

Hemmer versucht, dasselbe zu zeigen, indem er auf die Beschreibung des Beilagers in den schwedischen Landrechten hinweist: sie würden beide zusammen gehen. Nach Ansicht Hemmers werde hier die Frau ebenfalls als aktiver Partner dargestellt, was ihre rechtliche Gleichstellung unter Beweis stelle. Die mittelalterliche Frau als mündig und mit dem Manne rechtlich gleichgestellt darzustellen, ist indessen – wenn möglich – für Hemmer schwieri-

---

[60] Loc. cit. 92 ff.
[61] Oben, 66.
[62] *Sohm*, Eheschliessung, 22 ff.
[63] *Sohm*, Eheschliessung, 67 ff.
[64] Loc. cit. 52.

ger, da er vom schwedischen Recht ausgeht, und dieses bekannterweise die unverheiratete Frau bis in die Mitte des 19. Jahrhunderts unter einen Vormund stellt. Schon die blosse Behauptung Hemmers von dieser Mündigkeit ist falsch.

Die Dürftigkeit dieser Beweisführung muss gegen den Hintergrund der in dieser Zeit allgemein anerkannten These gesehen werden, dass der Sieg des Christentums eine Verbesserung der Stellung der Frau mit sich geführt habe, eine These, die vermutlich an sich als hinreichender Beweis betrachtet wurde.

Über das Ausmass dieses Einflusses waren die Meinungen indessen geteilt. Dass die christlichen Ideen eine entscheidende Rolle für die Entwicklung des Rechtes spielten, war, wie oben erwähnt, die Ansicht Hegels. Hegels Ansicht zufolge sei es erst die christliche Ehe gewesen, die in persönlicher und ökonomischer Hinsicht eine höhere Sittlichkeit realisieren konnte. Mit dem Christentum setze sich das Persönlichkeitsprinzip durch und bilde dadurch den Übergang zur modernen Zeit[65] ,,Der objektive Ausgangspunkt" einer Ehe in diesem Sinne sei die freie Einwilligung der Partner[66]. Diese Voraussetzung fehle bei solchen Völkern, bei denen das weibliche Geschlecht missachtet werde und wo die Eltern willkürlich über die Heirat bestimmen würden. In einem solchen Recht und dabei besonders in älteren Zeiten sehe man die Ehe lediglich als einen Vertrag an[67].

Wie oben gezeigt beinhaltete diese sittliche Einheit für Hegel auch eine Einheit in ökonomischer Hinsicht[68]. Hier sind diejenigen Gedanken ausgedrückt, die sich dann in der Idee von der vollen Gütergemeinschaft als ein christliches ,,Genossenschaftsverhältnis" mit behaupteter Ebenbürtigkeit für die unmündige Ehefrau wiederfinden. An diese Ideetradition schliesst sich Hemmer an.

Andere haben dem Christentum nur einen modifizierenden Einfluss zugebilligt. Es existiert eine weitere Tradition, die der urgermanischen Frau ebenfalls ein grosses Mass an Freiheit und Selbständigkeit einräumte. Gans ist ein Vertreter dieser Richtung[69].

---

[65] *Hegel*, Rechtsphilosophie, § 124.
[66] Loc. cit. § 162.
[67] Loc. cit. § 161 Zusatz, § 162 Zusatz.
[68] S. oben, 28.
[69] *Gans*, Erbrecht IV, 681.

Der herkömmliche Beleg ist die Rolle der Frauen in den isländischen Sagen und in den Berichten des Tacitus darüber, wie die Frauen in den Kämpfen der Männer teilnahmen. Diese Tradition lebte weiter während des ganzen 19. Jahrhunderts hindurch und lebt heute noch. Carlsson schliess sich dieser Ideentradition an.

6. Die Anhänger dieser verschiedenen Ideentraditionen sollten sich auch unterschiedlich gegenüber den Theorien über eine älteste Kaufehe verhalten, die sich ernsthaft während der zweiten Hälfte des 19. Jahrhunderts durchsetzte. Für diejenigen, die wie Hemmer annahmen, das Christentum habe einen entscheidenden Einfluss auf das Eherecht ausgeübt, war es nur natürlich, von einer älteren Kaufehe auszugehen, in der die Frau reines Objekt war. Für die Verfechter einer altgermanischen Freiheit, auch was die Frau betraf, war dies gewiss schwerer zu akzeptieren.

Sohm behandelt in seiner obengenannten Arbeit lediglich das deutsche Eherecht, und für die älteste Stufe, die er innerhalb dieses Rechtes ansetzt, nimmt er an, dass die Vormundschaft über die Ehefrau gekauft wurde, nicht die Ehefrau selbst. Dies wurde als zu kompliziert angesehen, um für eine ursprüngliche Entwicklungsstufe gelten zu können; und für die meisten Anhänger einer ursprünglichen Kaufehe erhielt diese den Gehalt eines Sachkaufes.

In der evolutionistischen Anschauung der Entwicklung der Gesellschaft und verschiedener kultureller Äusserungen, die sich während der zweiten Hälfte des 19. Jahrhunderts durchsetzte, betrachtete man diese Kaufehe als eine universelle Erscheinung. Im Anschluss an die oben erwähnten anthropologischen Theorien, vor allem Mac Lennans, nahm man an, dass die älteste Form dieser Kaufehe eigentlich eine Raubehe gewesen sei, die dadurch entstanden sei, dass exogame Gesellschaften die Ehe nur mit Angehörigen fremder Stämme zuliessen. Das normale sei doch die endogame Ehe auf der Grundlage des Kaufes gewesen. Als Beleg wird hier auf Arbeiten innerhalb von Philologie und Altertumskunde verwiesen. Spuren dieses Brautkaufes fand man auch in den germanischen sog. Volksrechten, in Ausdrücken wie *uxorem emere, feminam vendere, pretium emtionis, pretium nuptiale,* sowie im *kaupa, byggja konu* der skandinavischen Quellen. Die

Kaufsumme ist nach dieser Theorie mit der Zeit in eine Unterhaltszahlung an die Ehefrau umgewandelt worden[70].

Ausgehend von diesen Begriffen sind langwierige Diskussionen entstanden. Maurer und Amira haben unter anderen eingewandt, dass *kaufen* für jeden Vertrag angewandt werde und dass man nicht schlussfolgern könne, es handelte sich um Kauf im modernen Sinne. Nach Ansicht Hübners haben die Germanen dies jedoch selbst als Sachkauf verstanden. Es gab keinen Unterschied zwischen dem Kauf einer Frau oder dem eines Dienstmädchens. Hübner sieht auch keinen Widerspruch darin, dass das Objekt eine freie Frau war, die weiterhin frei sein sollte. Das entscheidende sei, dass ein Austausch von Ware und Bezahlung stattfand. Es sei freilich nicht von Kaufsummen im landläufigen Sinne die Rede gewesen, sondern von festen Beträgen; die aber laut Hübner Mindestbeträge gewesen waren[71].

Die Theorie von einem ursprünglichen Sachkauf ist unter anderen von Paul Koschaker kritisiert worden. Seiner Meinung nach gehen diejenigen, die meinen, die Frau sei ebenso wie eine Sklavin oder eine Kuh gekauft worden, von der Pandektenwissenschaft des 19. Jahrhunderts aus, deren Eigentumsbegriff nicht zwischen verschiedenartigen Objekten unterschied. Das ältere Recht kannte – so Koschaker – Eigentum als solches nicht, sondern lediglich ein Herrschaftsrecht an Sachen, ein Besitzrecht, das für verschiedene Objekte verschiedenartig war. Objekt und Zweck des Kaufes, der in diesem Fall die Konstitution einer Ehe war, entschieden die Qualität des Besitzrechtes, das sich also vom Besitzrecht an einer Sklavin unterscheiden musste[72] – konkreter kann sich Koschaker aus erklärlichen Gründen nicht aussprechen, da für diese Zeit jegliche Quelle fehlt. Gleichzeitig nimmt Koschaker an, die Formen, unter denen dieser Kauf vonstatten ging, seien die eines Sachkaufs, und er formulierte einen Satz, der häufig zitiert wurde: „Kaufehe liegt vor, *wenn der Vorgang der Eheschliessung von kaufrechtlichen Regeln beherrscht ist*"[73].

Koschaker legt den Finger an die entscheidende Stelle: die Frage

---

[70] *Hübner*, 624 ff.

[71] *Hübner*, 631.

[72] *Koschaker*, Landesreferate, 80 ff.

[73] Loc. cit. 83 f.

ob Kaufehe oder nicht sei gewiss eine Frage der Definition. Der Ausdruck als solcher sagt nichts über den Inhalt. Um den Gehalt des Begriffes Kaufehe klarzustellen, müsste man die Befugnisse des Mannes über die Ehefrau beschreiben. Rein formal, mit Koschakers Definition, kann man ebensogut den Ehehandel der hochmittelalterlichen Landrechte als Kaufehe bezeichnen.

7. Die Quellenbelege für die Kaufehe im germanischen Recht sind vor allem dem älteren langobardischen Recht entnommen, dessen Bestimmungen über den Ehevertrag in allen wesentlichen Teilen mit jüngeren Rechten übereinstimmt. Dies hat man früher in gebräuchlicher Weise als Nachweis eines gemeingermanischen Rechts angesehen. Hier sollen die Bestimmungen des Langobardenrechtes referiert und kommentiert werden.

Für das Zustandekommen einer rechtsgültigen Ehe bestehen zwei Forderungen: die Partner dürfen nicht in einem für die Eheschliessung verbotenen Verwandtschaftsverhältnis stehen, und der Mann muss die Vormundschaft über die Frau erwerben. Die erste Bedingung ist die weitestgehende. Ehen, die zwischen für die Ehe nicht zugelassenen Verwandtschaftsgraden geschlossen wurden, werden sowohl nach weltlichem als auch nach kanonischem Recht für ungültig erklärt und müssen aufgelöst werden[74].

Die Söhne aus diesen Verbindungen haben kein Erbrecht[75]. Eine Verbindung, in der der Mann nicht die Vormundschaft über die Ehefrau erworben hat, wird zwar nicht zwangsweise aufgelöst, ist aber nach weltlichem Recht nicht legitim, und die Frau und die Kinder erhalten nicht dieselben Rechte, die ihnen in einer legitimen Ehe zustehen. Dies geht u. a. hervor aus den Bestimmungen über das Erbrecht von legitimen und natürlichen Söhnen[76] ebenso wie aus den Bestimmungen über das Erbrecht der Witwe[77]. Der Mann erhält auch nicht das Besitzrecht über die Güter der Ehefrau, das er normalerweise in seiner Eigenschaft als Vormund der Frau hat[78].

---

[74] Ro 185, Liu 31–33.
[75] Liu 32.
[76] Ro 154, 155, Liu 105, 125, 126.
[77] Liu 113.
[78] Ro 188.

Vormundschaft in der Ehe setzt seinerseits Standesgleichheit voraus. Eine freie Frau darf sich nicht mit einem Knecht verheiraten[79]. Ein freier Mann darf sich mit einer unfreien Frau verheiraten, muss sie aber erst frei lassen[80].

Der Erwerb der Vormundschaft geschieht für gewöhnlich bei der Übergabe der Braut[81], aber dies kann auch nachher geschehen, wenn der Vormund dies erlaubt. Dadurch kann eine früher eingegangene Verbindung legitimiert werden[82]. Der Erwerb der Vormundschaft geschieht gemäss bestimmten Sätzen, die nach dem Stand des Mannes festgestellt werden. Diese Summe, die *Meta,* wird der Braut selbst überreicht[83].

Das Verfügungsrecht des Mannes über die Ehefrau und ihre Güter geht aus Bestimmungen hervor, die dieses Recht einschränken. Der Verkauf von Gütern der Frau muss von ihr selbst vorgenommen werden mit der Zustimmung des Mannes, jedoch nur wenn sie gegenüber einem Richter im Beisein ihrer Anverwandten erklärt, dass sie dies ohne etwaigen auf sie ausgeübten Zwang tut[84]. Der Mann kann die Vormundschaft über die Ehefrau verlieren, z.B. wenn er sie zu Unrecht eines unzüchtigen Lebenswandels wegen oder für Hexerei anklagt[85]. Wenn sie versucht, ihren Mann umzubringen oder im Begriffe ist, Ehebruch zu begehen, so hat er das Recht, sie zu töten[86], ansonsten hat er für Mord an der Ehefrau eine Busse von 1200 Solidus zu bezahlen, das höchste Wergeld, dass das Langobardenrecht kennt[87].

Wenn der Mann seine Vormundschaft verliert, so hat die Frau das Recht einen Vormund zu wählen, entweder innerhalb ihres alten Geschlechts, aus dem sie herstammt oder aber den König[88].

Eine Zeremonie des Beilagers wird nicht erwähnt, dagegen aber die Heimführung der Braut[89]. Ein Heiratsrecht in dem Sinne wie es

---

[79] Ro 221.
[80] Liu 105.
[81] Ro 184.
[82] Ro 186, 187.
[83] Liu 88.
[84] Liu 22.
[85] Ro 196, 197.
[86] Ro 202, 203, 211, 212.
[87] Ro 200.
[88] Ro 196.
[89] Ro 178, s. auch *Expositio* § 5 Aist 6.

beispielsweise die mittelalterlichen Rechte Schwedens mit Ausnahme des GL kennen, findet sich ebensowenig. Das bedeutet aber nicht, dass die Ehefrau kein Los erhielt. Über die *Meta* und die Morgengabe hinaus konnte der Mann, wenn er Söhne oder Töchter hatte, der Ehefrau bis zur Hälfte seines Eigentums zur Benutzung für den Fall seines Todes überlassen[90].

Es geht klar aus den Bestimmungen hervor, dass was der Mann bei der Eheschliessung erwirbt, ist die Vormundschaft über die Frau[91]. Dies gilt nicht uneingeschränkt, weder bezüglich der Güter noch bezüglich der Person der Frau. Gleichzeitig geschieht die Überlassung der Vormundschaft dadurch, dass die Frau selbst dem neuen Vormund überlassen wurde. Wie sorgfältig auf die Form geachtet wurde, zeigt sich darin, dass trotz des Rechts der Frau selbst zu entscheiden, ob sie in ihr altes Geschlecht zurückkehren wolle, nachdem die Vormundschaft des Mannes aufgehört, diese Rückkehr dennoch in den Formen der Übergabe vor sich zu gehen hatte: ,,Nam aliter sine traditione nulla rerum dicimus subsistere firmitatem"[92]. Der Form nach handelte es sich also um die Übergabe einer Sache und kann nach Gutdünken entweder mit einem Kauf oder einer Geschenkübergabe gleichgesetzt werden. Inhaltlich dagegen hat dieser Rechtszustand seine gerade für die Ehe gegebenen und völlig fest bestimmten Abgrenzungen. Die Formalitäten gehörten dazu als Beweis für die eingetretene Veränderung.

Vergleicht man dies mit schwedischem Recht, so ist als wichtig festzuhalten, dass die Stellung der Frau hier im Prinzip dieselbe ist wie im langobardischen Recht aus dem 7. und 8. Jahrhundert. Die Frau ist immer noch unmündig und geniesst keine grössere Handlungsfreiheit oder grösseren Schutz ihrer Person als im älteren Recht.

Eine Entwicklung zu erweiterter rechtlicher Gleichstellung mit dem Mann ist demzufolge nicht eingetreten. Eine solche hätte beinhaltet, dass sich die Befugnisse des Mannes vermindert hätten.

Ebensowenig wie sich Belege finden für eine Entwicklung vor-

---

[90] Aist. 5.
[91] Ro 165. Die Vormundschaft sollte mit einem Eid von zwölf Männern beeidigt werden.
[92] Ro 183. Glossa: *legitima uxor est tradita.*

wärts, so finden sich Belege für eine Entwicklung rückwärts. Es sind zwei Typen von Beweisführung, die für das vorausgesetzte ältere Stadium vorgelegt wurden: einerseits diejenigen, die auf anthropologischen Resultaten aufbauen, die zu einem globalen Entwicklungsschema ausgebaut wurden, andererseits die juristischen. Letztere, die hier mithilfe von Hemmers Argumentation exemplifiziert wurden, besagen also, die Frau sei rechtlich mit einer Sache gleichgestellt gewesen, da sie nach den Rechten auch als eine solche übergeben worden sei. An dieser Stelle setzt Koschakers Einwand an: der verwendete Eigentumsbegriff sei der des 19. Jahrhunderts, und setze ganzes und ungeteiltes Eigentumsrecht voraus oder überhaupt keins. Koschaker geht vom modernen Eigentumsbegriff aus. Man müsse den Schluss ziehen, dass die juristischen Begriffe zeitgebunden seien, und dass sie nicht für diese Art von Beweisführung angewendet werden können. Aber hinzu kommt, dass dieses Argument ausserdem gar nicht rein juristischer Natur ist. Gemäss dem langobardischen Recht, das eines der ältesten und wichtigsten Quellen zur ,,Kaufehe" darstellt, ist es nur die Vormundschaft über die Frau, die erworben werden kann. Man meinte aber, dies sei zu abstrakt für eine ursprüngliche Auffassung. Man muss sich also auch hier mit den Annahmen eines landläufigen evolutionistischen Modells behelfen.

Gemäss dem evolutionistischen Schema, das oben referiert wurde[93], hatte sich die Gesellschaft aus einem ursprünglichen Stammeskrieg zu den verschiedenen Formen von Zusammenwirken zwischen benachbarten Stämmen entwickelt. Die ,,Raubehe" und die älteste ,,Kaufehe" gehörten zu diesem ursprünglichen Stadium, zu einer Zeit, da die Ehe mit solchen Frauen geschlossen worden sei, die von anderen Stämmen geraubt oder gekauft worden waren. Die Idee der Kaufehe ist damit ein Teil der allgemeinen evolutionistischen Theorie über die Entwicklung der Gesellschaft von der ältesten Zeit bis hin zur christlichen – abendländischen Zivilisation des 19. Jahrhunderts, die man als Ziel und Höhepunkt der Entwicklung betrachtete.

Diese Vorstellung hat ihre bestimmte Tendenz. Erst durch die Konstruktion einer älteren Kaufehe konnte der christlichen Ehe

---

[93] Oben, 31, 70.

der Rang einer höheren Entwicklungsstufe zukommen mit ihrer unterstellten Gleichheit im Gegensatz zur älteren Stufe.

Die gesamte langwierige Debatte um die ,,Kaufehe" und Beilager mit ihren Wurzeln im 19. Jahrhundert zeigt gleichzeitig, welche Schwierigkeiten in diesen komplexen Mythen eingebaut sind. Sie wurden unbewusst zum Ausdruck der herrschenden Betrachtung der Ehe sowie für das Streben, die patriarchalische christliche Ehe gegenüber auflösenden Tendenzen zu verteidigen, die sich in den Forderungen der Zeit nach Gleichberechtigung der Frau niederschlugen, wie auch nach dem Recht der Frau, ihr Eigentum selbst zu verwalten. Gegenüber der neuen Freiheitsideologie mit ihren Ahnen in der Aufklärung und der Französischen Revolution wurde das genossenschaftliche Verhältnis in der traditionellen Ehe betont mit ihrer vermeintlichen Freiheit für die Frau. Die moderne Gleichheitsfrage mit ihren verschiedenen Aspekten war ins Zentrum des Interesses geraten. Aber die Bestimmungen der mittelalterlichen Rechte eignen sich kaum als Unterlage für solche Theorien.

Hinzu kommt die durchgängige Schwierigkeit hinsichtlich der evolutionistischen Theorie, nämlich der Mangel an Kriterien für das, was älteres und jüngeres Recht darstellt. Man war demzufolge zutiefst uneinig, bis zu welchem Grad die Menschen in älterer Zeit die Fähigkeit hatten, kompliziertere Rechtshandlungen auszuführen. Die Schwierigkeiten sind dadurch nicht geringer geworden, dass die zeitliche Einordnung besonders diffus war. Dies resultierte in einer lockeren Einschätzung der Fähigkeit des ,,primitiven" Menschen, gesehen vom Standpunkt einer entwickelten Zivilisation und mit der landläufigen Auffassung über die Unfähigkeit zeitgenössischer ,,primitiver" Kulturen, ihre Probleme zu lösen.

8. Die traditionelle dualistische Rechtsauffassung ist der unreflektierte Ausgangspunkt für sowohl Carlsson als auch Hemmer. Auch Carlsson nimmt eine Kaufehe an, obwohl dies schwerlich vereinbar ist mit ihrer Anschauung der Rolle der Frau im älteren Recht[94]. Beide gehen a priori von einer Eheschliessung in den mittelalterlichen Rechten aus, deren Ursprung ganz oder teilweise ,,heid-

[94] *Carlsson,* Jag giver I, 32ff. Die Darstellung Carlssons entbehrt jeder Definition und ist widerspruchsvoll.

nisch" ist. Beide stellen sich vor, die Kirche hätte gegen diese ältere Eheschliessung gekämpft, um sie zu verdrängen oder umzuwandeln. Die Frage, ob die Trauung im ÖgL obligatorisch war oder nicht, wird zu einem Glied der Diskussion über die Frage, wie weit die Kirche in ihren Bemühungen erfolgreich gewesen war[95].

In den Quellen findet sich indessen kein Beleg für einen solchen prinzipiellen Gegensatz. Verlobung und Hochzeit im bürgerlichen Recht betreffen den ökonomischen Vertrag und dessen Durchführung. Dieser konnte für die Frau nur von ihrem Heiratsvormund abgeschlossen werden. Die bürgerliche Verlobung wurde keineswegs von der Kirche bekämpft. Umgekehrt wurde dieser sowohl von weltlichem als auch kirchlichem Recht als ein bindender Vertrag angesehen, und für unbefugten Verstoss gegen diesen war eine Busse von 3 Mark an den Bischof festgesetzt[96]. Die Hochzeit war lediglich die Erfüllung dieses Vertrages, dem entgegenzutreten für die Kirche kein Grund vorlag. Es existiert nicht der leiseste Hinweis, der darauf hindeuten könnte, dass die Kirche versucht hätte, die Formen für die wirtschaftliche Abmachung zwischen den Partnern zu ändern.

Es liegt also kein Grund vor für die Annahme, die Trauung hätte etwa im Gegensatzverhältnis zur bürgerlichen Hochzeit gestanden. Das ÖgL setzt ausdrücklich fest, dass der Heiratsvormund bei der Trauung zugegen sein muss. Sein Recht als Heiratsvormund ist mit vollem Wergeld geschützt, sowohl gegenüber dem Priester als auch gegen jede andere Person, die dieses Recht an seiner Statt

---

[95] Dafür, dass die Trauung bereits im ÖgL obligatorisch gewesen sein soll, existieren keine Beweise. Sie beide folgen hier *Holmbäck–Wessén* I, 117, Anm. 14, die ihrerseits auf *Schlyter*, Juridiska Afhandlingar I, 152 ff. zurückgreifen. Letzterer geht von ÖgL G 6:pr aus: „Nu siþan faest aer: þa skal uighia (Gesetzt sie sind verlobt: so sollen sie getraut werden)". *Amira* hat gegen diese Interpretation angeführt, dass *soll* nicht *müssen* zu bedeuten braucht. Das ÖgL schreibe keine Trauung vor, sondern schreibe vor, wenn eine Trauung vorgenommen werde, so soll dies mit Einwilligung des Vormundes der Frau geschehen, Obligationenrecht I, 540, Anm. 2. Hier kann angeführt werden, dass das ÖgL Ä 8 als Beweis ehelicher Herkunft und des Erbrechtes für die Kinder festsetzt, dass die Frau gesetzlich verheiratet ist und dass die Zeugen der Hochzeit dies beeiden müssen. Von Trauung wird hier nicht gesprochen. Wenn die Trauung obligatorisch wäre, da wäre ja eine Ehe ohne dieselbe als nicht-legitim angesehen.

[96] VgL I G 2: 1. Vgl. UL Ä 1: 4.

ausübt[97]. Aber dies ist kein Nachweis für einen kirchlichen Angriff gegen den Heiratsvormund, wie man gemeint hat. Dagegen ist es offenbar, dass die Partner selbst versuchen konnten, am Heiratsvormund vorbeizukommen und sich ohne dessen Einverständnis zu verheiraten. Dies stellte einen ernstlichen Eingriff in die familienrechtliche Ordnung dar. Die vollständige Abhängigkeit der Frau war eine der Voraussetzungen für den Fortbestand der herrschenden Eigentumsverhältnisse.

Das Interesse der Kirche lag auf einer anderen Ebene: die Vermeidung der Ehe zwischen verbotenen Verwandtschaftsgraden und die Besteuerung des privaten Sektors der Gesellschaft durch die gerichtliche Gewalt und das Recht, Bussen zu erheben, sowie durch eine Menge Abgaben für diverse kirchliche Verrichtungen. Damit kontrolliert werden konnte, dass keine Hindernisse für die Ehe vorlagen anbefahl das Laterankonzil von 1215 das obligatorische Aufgebot. Die Trauung wurde dagegen wie erwähnt nach dem kanonischen Recht erst auf dem tridentinischen Konzil obligatorisch.

Nur indem man den Heiratsvormund als eine Art heidnischen Priester und die Erfüllung des wirtschaftlichen Vertrages als ein heidnisches Ritual betrachtete, ist die Konstruktion dieses prinzipiellen Gegensatzes zwischen bürgerlicher und kirchlicher Hochzeit, zwischen bürgerlicher Beilagerzeremonie und kirchlichem Segensakt, möglich. Dieses gesamte Problem ist ein Scheinproblem. Unsere mittelalterlichen Rechte sind Ausdruck für christlich-feudale Normen und Wertmassstäbe. Der Gegensatz zwischen kirchlichen und weltlichen Autoritäten in familienrechtlichen Angelegenheiten ist ein Teil des allgemein feudalrechtlichen Verhältnisses zwischen diesen Autoritäten. Die Zeremonie, durch die der Heiratsvormund die Vormundschaft über die Frau und ihr Eigentum an den zukünftigen Ehemann abtritt, kann als eine Form der Investitur betrachtet werden, eine Beobachtung, die bereits von Sohm gemacht wurde mit dem langobardischen Recht als Ausgangspunkt. Aus dem schwedischen Recht kann als aufschlussreiches Exempel die Bestimmung des ÖgL angeführt werden, dass der Bezirkshauptmann bei Widerstand des Heiratsvormundes

---

[97] ÖgL G 6: pr, 1. Vgl. UL Kk 15: 2.

nach ergangenem Urteil des Richters die Frau mit Gewalt ent-
führen und sie dem Verlobten „in die Hände geben" soll[98]. Gewöhnlich geschah dies unter Aussprechen der Hochzeitsformel.
Auf dieselbe Weise, in der der Vasall das Homagium an den Herrn
vornimmt, wird demzufolge auch die Vormundschaft „mit Hand
und Mund" überlassen. Aber die Frau ist unselbständig, sie über-
lässt sich nicht selbst ihrem neuen Herrn und Mann. Dies geschieht
vielmehr durch den Heiratsvormund. In diesem zeremoniellen Teil
kann ein Gegensatz zwischen Priester und Heiratsvormund sehr
gut angenommen werden. Die Trauung markierte den Anspruch
der Kirche auf das Hoheitsrecht in familienrechtlichen Angelegenheiten. Sie ergab selbstverständlich auch eine weitere Kontroll-
möglichkeit für die Kirche. Aber der bestehende Gegensatz hält
sich innerhalb des Rahmens der feudalen Gesellschaft.

9. Es ist die traditionelle dualistische Rechtsanschauung, die eine
solche Fragestellung und Diskussion wie die Carlsson-Hem-
mer'sche ermöglichte. Von der heute anerkannten wissenschaftlichen Betrachtungsweise und historischen Methode her gesehen,
ist es dagegen unmöglich, eine Aussage über irgendeine Erscheinung im urgermanischen Recht zu machen; weder über eine
etwaige „Kaufehe", noch über ein etwaiges Beilager. Durch das
Erfordernis der Gleichzeitigkeit des Quellenmaterials, können wir
zeitlich nicht weiter zurückgehen als dieses Material es zulässt.
Wir haben auch keine anderen wissenschaftlichen Kriterien darüber, welches ältere oder welches jüngere Regelungen sind. Dies
bedeutet, dass weder Carlsson noch Hemmer die Möglichkeit
haben, ihre Thesen zu beweisen.

Es ist folglich nicht möglich, die vielen Bestimmungen des Ehevertrages auf verschiedene zeitliche Schichten zu verteilen. Diese
Regelungen stellen eine Einheit dar. Wir müssen davon ausgehen,
dass sie, wie die Quellen dazu, in die Gesellschaft des Hohen
Mittelalters gehören. Man muss sich dabei fragen, welche Funktion
diese komplizierte Übereinkunft in dieser Gesellschaft über das
vorher genannte hinaus hatte, den Übergang von Vormundschaft
zum Inkrafttreten des Heiratsrechtes zu regeln. Und hier findet

---

[98] ÖgL G 8: pr.

sich ein wichtiger Aspekt, der in der Polemik zwischen Carlsson und Hemmer völlig abhanden gekommen ist, dass nämlich die Zeremonie von Bedeutung war den sozialen Rang der echten Ehefrau zu zeigen. Das Beilager symbolisiert sowohl die ökonomische Vereinigung als die Ebenbürtigkeit der Ehegatten. Es ist nicht die Frage von einer individualistischen Gleichheit zwischen den Geschlechtern, wie Hemmer von einem späteren Ausgangspunkt meint, sondern die Standesgleichheit, die eine Voraussetzung einer legalen Ehe im Feudalrecht war.

Geht man davon aus, dass die Bestimmungen darauf abzielten, die Rechte der gesetzlichen Ehefrau und ihrer Kinder von den Rechten der Friedel und anderer Frauen, zu denen der Mann Verbindung hatte, zu unterscheiden, so verändert sich die Sicht aufs Beilager ganz entscheidend. Für alle die hier genannten Forscher ist der Beischlaf, symbolisch oder nicht, der eigentliche Inhalt des Beilagers. Aber der Beischlaf als solcher konnte ja die gesetzliche Ehefrau nicht von der Friedel unterscheiden. Was sich unterscheidend auswirkt, ist der Platz des Beischlafs; für die gesetzliche Ehefrau das Federbett, die Kostbarkeit, die sie nach dem ostgötischen Landrecht mit in die Ehe einbrachte und das den vornehmen Bettplatz oder Hochsitz hervorhob[99]; oder aber, mit dem Ausdruck der sveäländischen Landrechte, im „Bett des Mannes"[100]. Es ist dieser Platz, der die soziale Stellung der gesetzlichen Ehefrau hervorhebt und damit die Anrechte für sie und ihre Kinder. Dass das Bett den sozialen Rang zeigte, geht auch daraus hervor, dass die gesetzliche Ehefrau entweder das Recht auf eine Busse von 40 Mark von der fremden Frau, die auf Federbett und Decke in ihrem Bett gegangen war, oder auch das Recht auf Rache der sozialen Kränkung erhielt[101].

In den schwedischen Landrechten ist das Beilager symbolisch, und dies erklärt sich aus der hier dargelegten Interpretation. Was symbolisiert wird, ist der soziale Rang, Beischlaf als solcher war dagegen selbstverständlich und uninteressant aus juristischer Sicht. Wie stimmt nun diese Interpretation überein mit der Ände-

---

[99] ÖgL G1.
[100] S. oben V: 3.
[101] UL Ä 6: pr, 1, 2. Diese Bestimmungen sind von Carlsson in anderen Zusammenhang behandelt worden.

rung, die im MEL zustande kam, als die Rechtswirksamkeit der Ehe nach der ersten gemeinsamen Nacht des Brautpaares eintrat? Deutet dies nicht doch darauf, dass der Beischlaf das Wesentliche war und dass man deswegen den Zeitpunkt auf den Morgen nach der Trauung verschoben hatte?

Ein Vergleich zwischen MEL und den Landrechten der einzelnen schwedischen Landschaften erlaubt die Annahme, dass eine wichtige Veränderung eintraf. Das MEL hat keine Bestimmungen über Hochzeitzeugen, umgekehrt sind die Bestimmungen über Brautfahrt und Hochzeit ersetzt durch Verbote von Luxus und von Ladung von mehr als einer bestimmten Anzahl Gäste[102]. Es ist deutlich, dass dies gesamte kostspielige und umständliche Verfahren, das die Rechtswirksamkeit der Ehe beglaubigen sollte, reif zur Abschaffung war. Die Verlobungsehe gewinnt stattdessen an Boden. Die erste gemeinsame Nacht als Zeitpunkt des Inkrafttretens des Heiratsrechtes festzusetzen, muss daher eine Vereinfachung des Verfahrens beinhaltet haben; und die Ehe erhielt dadurch die notwendige Öffentlichkeit. Als dann die kirchliche Trauung mit öffentlichem Aushang obligatorisch wurde, erübrigte sich auch dieser letzte Beweis. Allmählich verschwindet auch die Friedelehe mit ihrer in den mittelalterlichen Rechten sanktionierten Form mit gewissem Erbrecht für die Kinder. Als Zeremonie hat das Beilager doch weitergelebt bis ins 18. Jahrhundert[103].

10. Durch die Zeremonie des Beilagers wird markiert, dass die Ehefrau in den Stand und die Gewalt des Mannes eintritt, ihr Eigentum wird mit dem seinigen zusammengeschlagen und die zukünftigen Kinder können legitim und voll erbberechtigt geboren werden. Damit hat der Mann der durch den Verlobungsvertrag eingegangenen Verpflichtung Genüge getan, nämlich die Frau als seine Ehefrau heimzuführen. Erst durch diese Handlung erhält er die volle Vormundschaft über sie und ihr Eigentum.

Dieselben Verpflichtungen sind im langobardischen Recht eingeführt, obwohl keine besondere Beilagerzeremonie vorkommt. Der Verlobte ist verpflichtet, die Verlobte innerhalb von zwei Jahren abzuholen, sie heimzuführen[104] und ihr *alia diae* die bei der Ver-

---

[102] MEL G 7: 1, 8.
[103] *Carlsson,* Jag giver I, 162 ff.
[104] Ro 178.

lobung versprochene Morgengabe auszuhändigen[105]. Wenn der Mann die Ehefrau grundlos verstösst und ihren Platz durch eine andere einnehmen lässt, *et aliam in domum super eam duxerit,* so wird dies mit einer Busse von 500 Solidus bestraft[106]. Einzig aus diesen standesgleichen Ehen, in denen der Mann die Vormundschaft über die Ehefrau erworben hat, können wie oben genannt legitime Erben hervorgehen. Die nicht standesgemässen Ehen, führen geringere Rechte für Frau und Kinder mit sich[107]. Der Charakter der *Meta* geht daraus hervor, dass sie dem Wergeld nach dem Stand des Mannes entspricht und dass sie bezahlt werden muss, wenn die Vormundschaft über die Frau erworben werden soll. Es sind also die am höchsten gestellten Frauen, die ,,gekauft" werden müssen. Im schwedischen Recht beweisen die Kinder ihre Legitimität u.a. indem sie bezeugen können, dass ihre Mutter verheiratet war: *maeþ mund oc maeþ maelae*[108], dies im Unterschied zur Friedel.

Die Zeremonie des Beilagers stellt sich damit als eine Ausweitung der Heimführung der Braut dar. Diese fand sich auch im römischen Recht. Es geht immer noch darum, dass der Mann hiermit den eingegangenen Vertrag einlöst.

Wenn man in späteren Rechten den Eintritt der wirtschaftlichen Rechtswirkungen ins Beilager verlegt, so trug dies bei zu einem erhöhten Schutz der Rechte der Verwandten der Frau und ihrer etwaigen Erben gegen die freie Verfügung des Mannes über die Mitgift der Frau, bevor er seinen Anteil des Vertrages erfüllt hatte. Das ÖgL hat hierüber eine explizite Bestimmung, in der festgelegt ist, dass für den Fall des Todes der Frau, bevor das Paar zusammen ins Bett gekommen ist, der Mann kein Recht hat, irgendetwas von ihrem Eigentum zu erhalten[109].

Die von der älteren Forschung aufmerksam behandelte und detaillierte Entsprechung zwischen dem langobardischen Recht und späteren Rechten dürfte dadurch erklärt sein, dass es sich um eine Rezeption handelt, nicht des älteren Rechts als solchem,

---

[105] Liu 7.
[106] Gri 6. Vgl. UL Ä 6:3.
[107] Liu 105, Ro 154, 155.
[108] Vgl I Ä 7, II Ä 10. Vgl. UL Ä 1:4.
[109] ÖgL G 7: pr.

sondern des gelehrten Rechts, der Lombarda[110]. Dies geht hervor aus den Übereinstimmungen, die sich aber lediglich mit den Kommentaren ergeben. Ein aufschlussreiches Beispiel, dass ebenfalls als Erklärung für die ausgeweitete Zeremonie des Beilagers dient und das ausserdem die kaufrechtlichen Regeln in Funktion zeigt, sind die legalen Übergabeformeln. Ich werde dies ausführlich zitieren. Die Unterstreichungen sind von mir.

Ro 182

... Post dic: si a Deo est factum, pro hoc venit Martinus, quod vult sponsare Mariam filiam Petri. – Venisti propter hoc? – Veni. – Da wadiam *quod facias ei quartam portionem de quanto tu habes aut inantea acquirere potueris, tam de re mobili, quamque immobili, seu familiis,* et si te subtraxeris, componas libras 100. Et per istam spatam et istum wantonem sponso tibi Mariam meam filiam. – Et accipe tu eam sponsario nomine. Et commenda eam ei usque ad terminum talem. Tu pater feminae, da wadiam ei, *quod tu des ei eam ad uxorem,* et mittas sub mundio, et tu wadiam da, quod eam accipias, et qualis se subtraxerit, componas solidus mille. – Cum venerit ad terminum, fiant cartulae lectae et fiat femina tradita per manum. – Propter hoc dat, Petre, hanc crosnam ut mittas eam sub mundium cum omnibus rebus mobilibus et immobilibus seu familiis, quae ad eam per legem pertinent, et mundium et crosnam tradas sibi ad proprium. Da ei launechild. – Precipite fieri noticiam, donne comes.

Hiermit soll verglichen werden UL Ä 3 von der Aussage des Vormundes:

Han a *kono manni giptae til* heþaer ok til *husfru* ok til siaeng halfrae, til lasae ok nyklae ok *til laghae þripiunx, i allu han a j lösörum ok han afflae fa, utaen gull ok hemae hion,* ok til allaen þaen raet, aer uplaenzk lagh aeru ok hin haelghi erikaer kunungaer gaff, j nampn faþurs ok sons ok þaes haelghae andae.

(In Übersetzung:)

Er soll die Frau verheiraten an den Mann in Ehre und zur Ehefrau und damit sie das Bett mit ihm teile, zu Schloss und Schlüssel und zum gesetzlichen Drittel und zu all dem, was er besitzt und in Fahrhabe erwerben kann, ausser Gold und Sklaven, und zu allem Recht, das uppländisch ist und das der heilige König Erik gab, im Namen des Vaters und des Sohnes und des Heiligen Geistes.

Über den quotiellen Anteil der Ehefrau hat die Lombarda

---

[110] Von der Lombarda, s. unten, 92.

schwankende Angaben. Ein Achtel kommt auch vor, ebenso wie im GL, sowie ein Drittel. Unterschiede finden sich in den Angaben darüber, was ein quotieller Teil sei; das jüngere Recht nimmt Grund und Boden aus, ebenso den wertvollsten Teil der Fahrhabe. Aber als Beweis für die Rezeption sind die formalen Entsprechungen entscheidend.

In der Übergabeformel der Lombarda ist ein Strafmass angegeben für Vertragsbruch. Der Mann verpflichtete sich bei Strafe von 100 Libras der Frau ein Viertel am gemeinschaftlichen Eigentum zu garantieren. In der schwedischen Formel findet sich keine Entsprechung, dagegen wird das Recht der Frau auf ein Drittel des gemeinsamen Besitzes sowie einer Morgengabe von 3 Mark beim Eintritt ins Beilager festgesetzt. Aus dem Wortlaut geht hervor, dass dies in der Übergabeformel enthalten war: *Sva aer firi gipt at skilia...*[111]. Es geht also nur um zwei Möglichkeiten, dieses Recht zu garantieren. Eine entscheidende Veränderung ist nicht eingetreten als das Beilager zu einem Rechtsakt wurde.

Im zweiten Abschnitt dieser Arbeit werde ich zeigen, dass schwedische – und skandinavische – Rechte des Mittelalters in anderen sehr wesentlichen Bereichen die Lombarda rezipiert haben. Ausser den hier behandelten Regelungen ist es offenbar, dass die Formen für Verträge unterschiedlicher Art und für das Stellen von Bürgen, die eine stark hervorstechende Erscheinung im nordischen Recht sind, von dort stammen. Der Ehevertrag ist ein Teil – allerdings ein wichtiger – dieses Systems.

11. Die Idee der altgermanischen Sippengesellschaft baut auf feudalrechtliche Züge in den mittelalterlichen Rechten – dies ergab sich in gewissem Grad durch die vorhergehende Analyse und wird noch deutlicher im nächsten Abschnitt werden, der das GL behandelt. Es ist von früherer Forschung versucht worden, diese Gesellschaft von Geschlechtern auch durch archäologische Funde und Angaben von Runensteinen zu belegen, die von mächtigen Familien erzählen. Es gilt, zwei Dinge zu beachten, die man hierbei sorgfältig unterscheiden muss. Das eine ist die Tatsache, dass es immer Geschlechter gegeben hat und immer geben wird

---

[111] VgL I G 9.

und dass eine gewisse Gütergemeinschaft stets üblich gewesen ist, wenigstens im engsten Familienkreis. Wenn man nur die Definition ausreichend weit macht, kann man immer eine Sippengesellschaft finden. Das zweite sind die spezifischen Bestimmungen in den hier untersuchten Rechten.

Diese Bestimmungen in die Entwicklungsperspektive der evolutionistischen Theorie des 19. Jahrhunderts einzuordnen, bedeutet den Verlust der Möglichkeit, sie in ihrem speziellen Zusammenhang zu verstehen. Es lohnt sich, noch einmal zu wiederholen, dass die grösste Fehlperspektive dabei in der dualistischen Rechtsanschauung aufgekommen ist und hier vor allem in der Sicht auf die Bedeutung des Christentums und der Kirche für die Entwicklung der Gesellschaft.

Das traditionelle Bild ist ein entscheidendes Hindernis für das richtige Verständnis der Funktion der Rechte als politische Machtmittel. Es geht nicht um zwei Rechtssysteme sondern um ein einziges: um das von den weltlichen und kirchlichen Machthabern gemeinsam geschaffene[112].

------

[112] In seiner Skizze 'Landskapslagarna', *Nyström,* 62 ff., geht Per Nyström zwar von der traditionellen dualistischen Grundanschauung aus, hat doch betreffs der Entstehung der Gesetze in der Hauptsache dieselbe Auffassung, die in dieser Abhandlung vorgebracht ist. Ich habe seinen Aufsatz erst kennengelernt, nachdem ich schon längst meine Resultate erreicht hatte. Er ist von den Rechtshistorikern totgeschwiegen worden, was nicht selten vorkommt betreffs unbequemer Ideen.

INTERPRETATION UND DATIERUNG
DES GL UND DER GS

IV
Quellen, Ziel und Methode

Die endgültige Interpretation und Datierung des GL setzt dreierlei voraus:

1. eine erneute Sichtung sowie einen Vergleich der Handschriften, sowohl der gotländischen als auch der Übersetzungen, und eine moderne sprachliche und paläographische Untersuchung.

2. eine Durchsicht des Inhalts sämtlicher Teile des GL und einen Vergleich mit sämtlichen anderen Rechten, die möglicherweise Einfluss auf das gotländische Landrecht ausgeübt haben können.

3. einen Vergleich mit anderem historischen Material.

Das Ergebnis dieser Untersuchungen muss anschliessend verglichen werden und mit der Theorie der Entstehung der Rechte gegenübergestellt werden, die für den gesamten Norden ausgearbeitet werden muss, d.h. die Rechtsinterpretation muss in ihren politischen Zusammenhang hineingestellt werden. Meine Behandlung des Themas wird einerseits begrenzt durch die Ausformung, die die vorliegende Arbeit erhalten hat, andererseits durch den Forschungsstand im ganzen. Zur Zeit fehlen wichtige Voraussetzungen, um überhaupt definitive Ergebnisse erreichen zu können. Hier muss der Mangel an modernen sprachlichen und paläographischen Untersuchungen erwähnt werden. Die Gründe meiner eigenen Eingrenzungen werde ich darlegen bei der Behandlung der einzelnen Punkte.

1. Eine Übersicht über die Quellenlage zum GL findet sich bei

Schlyter im Vorwort seiner Ausgabe des GL sowie in der Einleitung von Pippings sprachhistorischer Untersuchung ,,Guta lag och Guta saga"[1].

Das GL ist mit zwei Handschriften in gotländischer Sprache überliefert. Bei einer der beiden Handschriften handelt es sich um eine mittelalterliche Pergamenthandschrift, von Schlyter mit HsA bezeichnet. Diese Handschrift enthält auch die Darstellung der Geschichte Gotlands seit den ältesten Zeiten sowie die Verträge mit dem König der Svea und dem Bischof von Linköping, die Schlyter ,,Historia Gotlandiae" nannte und Carl Säve ,,Guta Saga" (Gotensage) (GS). Die letztere ist die allgemein gebräuchliche Bezeichnung und soll auch hier angewendet werden, auch wenn sie irreführend scheint. Von Schlyter wurde diese Handschrift aus paläographischen Gründen ins 14. Jahrhundert datiert, was allgemein akzeptiert worden ist.

Die zweite Handschrift in gotländischer Sprache ist auf Papier geschrieben, u.z. von dem Pfarrer in Barlingbo, David Bilefeld, laut eigener Angabe im Jahre 1587. Bilefeld teilt mit, dass er von einer Handschrift aus dem Jahre 1470 abgeschrieben habe. In der Handschrift Bilefelds fehlt die GS. Schlyter benannte diese Handschrift HsB.

Es existiert eine Aufzeichnung in deutscher Sprache aus dem Jahre 1401, die das GL und die GS enthält. In dieser Quelle wird sie selbst als eine Übersetzung des gotländischen Textes bezeichnet, angefertigt von einem Herrn Sunye aus Wisby auf Veranlassung des führenden Mannes des Deutschen Ordens auf Gotland. Auf Dänisch existiert das GL ohne GS in Form einer Papierhandschrift aus der Mitte des 16. Jahrhunderts.

Die deutsche Übersetzung ist von S. Ekelund untersucht worden in den ,,Studien über eine mittelalterdeutsche Übersetzung des altgutnischen Rechtes". Ekelunds Ansicht zufolge ist die Übersetzung durchgehend schlecht ausgeführt und der Übersetzer wahrscheinlich ein Schwede gewesen. Schlyter dagegen vertritt die Auffassung, die Muttersprache des Übersetzers sei Hochdeutsch gewesen. Der deutsche Text entspricht seiner Ansicht nach ziemlich weitgehend dem Inhalt, obwohl offensichtliche Missverständ-

---

[1] *Schlyter*, Corpus VII, I ff. *Pipping*, Guta lag, I ff. Siehe auch *Holmbäck–Wessén* IV, LXIV ff.

nisse vorkommen. Die dänische Übersetzung klassifiziert Schlyter als schlecht.

Alle vier Handschriften unterscheiden sich inhaltlich voneinander, sowohl was die Anzahl der Kapitel betrifft als auch ihrem inneren Aufbau nach. Die Unterschiede sind derart, dass sie nicht ohne weiteres auf den Zeitfaktor zurückgeführt werden können. Es handelt sich wahrscheinlich um voneinander unabhängige Überlieferungen[2]. Die in allen Handschriften vorkommenden Worte „man hat sich auch darüber verbunden, dass es Gesetz ist, was hier geschrieben" können folglich nicht in allen Quellen den tatsächlichen Verhältnissen entsprechen.

Früher ist man als selbstverständlich davon ausgegangen, dass es eine offizielle Version gegeben habe, die auf gotländisch verfasst gewesen sein soll. Es herrschte die Ansicht vor, die HsA komme in sprachlicher Hinsicht dieser offiziellen Version am nächsten, während die HsB die ursprünglichere Version in bezug auf den Inhalt aufweise. Die letztere Handschrift enthält nämlich ein Kapitel über den Kauf von Sklaven, das im Text der HsA fehlt – aber im Verzeichnis der Kapitel vorhanden ist – sowie ausführlichere Bestimmungen über Kinder von Geistlichen. Die Schlussfolgerung daraus war die, dass der Schreiber der HsA diese absichtlich weggelassen hatte, weil sie veraltet gewesen seien[3].

Die letztgenannte Schlussfolgerung betrachte ich als richtig, auch wenn die Stärke des Arguments dadurch abgeschwächt wird, dass die HsA mit ihren vielen Auslassungen und falschen Schreibweisen überhaupt eine ziemlich unzuverlässige Handschrift ist. Dagegen muss man bis auf weiteres die Frage nach dem Verhältnis der Handschriften untereinander offen lassen und ebenso die Frage, ob eine ursprüngliche Version existiert habe und wie diese in diesem Fall ausgesehen haben mag. Für mich ist es bis auf weiteres hinreichend zu konstatieren, dass die für meine Untersuchungen wichtigsten Abschnitte im grossen und ganzen in allen vier Handschriften übereinstimmen. Abweichungen im einzelnen werden im Zusammenhang diskutiert werden.

Eine moderne sprachliche Analyse der gotländischen Hand-

---

[2] *Pipping*, Gutalag, XVIII, Anm. 1 hat nachgewiesen, dass die HsA und die HsB gemeinsame Fehler haben, die darauf hindeuten, dass sie eine gemeinsame Vorlage haben.

[3] *Schlyter*, Corpus VII, IV.

schriften existiert nicht, wie bereits erwähnt. Daher bin ich ausgegangen von Pippings Untersuchungen, die in der Frage der Formenlehre sehr detailliert sind. Es gibt keinen Grund, etwas anderes als ihre Zuverlässigkeit in dieser spezieller Hinsicht anzunehmen. Aus Pippings Arbeit geht hervor, dass viele Fehlschreibungen und Verdorbenheiten im Text vorkommen. Es dürfte daher aller Wahrscheinlichkeit nach unmöglich sein, überall zu einer logisch zusammenhängenden Interpretation vorzudringen. Ein Teil der Probleme wird vielleicht für immer ungelöst verbleiben.

Die Arbeiten der älteren Sprachforscher haben indessen eine gewisse Tendenz, die ihren Anwendungsbereich einschränkt. Diese Tendenz geht nämlich dahin, das GL und die GS als nationale gotländische Erzeugnisse zu betrachten. Es ist auch auffallend, wie wenig Beachtung den Lehnworten geschenkt wird. Pipping stellt beispielsweise fest, dass der Einfluss des Deutschen sehr gross sein muss[4], aber er exemplifiziert dies nicht und geht auch nicht näher darauf ein, ebensowenig tut er dies in bezug auf die Danismen. Pipping nennt einige Beispiele aus der HsB. Es ist jedoch offensichtlich, dass eine grössere Anzahl existieren muss und dass sich solche Danismen auch in der HsA finden. Vereinzelte Beispiele für Lehnworte aus dem Baltischen und Finnischen werden ebenfalls angeführt[5].

Charakteristisch ist ebenfalls, dass inhaltliche und sprachliche Argumente miteinander vermischt werden. Man will stets gerne eine Sprachform auf ein älteres Stadium zurückführen, wenn diese sich in einem Abschnitt befindet, der aus inhaltlichen Gründen als älterer beurteilt wird. Auf diese Weise haben sprachhistorische und rechtshistorische Ergebnisse einander stützen können. Als Beispiel kann hier die Bestimmung über das Erbrecht nich-gotländischer Personen angeführt werden, die aus inhaltlichen Grün-

---

[4] *Pipping*, Guta lag, CXII f. Andere Wissenschaftler haben mit weiteren Beispielen beigetragen. Das gotländische „wereldi" ist wahrscheinlich eine Entsprechung zum deutschen „Wergeld", *Holmbäck–Wessén*, IV, 250 und „utretta" zu „utrichten", *Hasselberg*, 252, Anm. 26. Vgl. auch *Schlüter*, Zwei Bruchstücke, 552.

[5] *Pipping*, Guta lag, XCII. Pipping weist u.a. auf eine Fehlschreibung hin, die die HsA gemeinsam mit dänischen Rechten hat, nämlich *skilct, sclicum* statt *slict*, loc. cit. XL VI. Der Schreiber der HsA macht nach P. eine Menge solcher Dittographien. In der HsB können die Danismen natürlich auch darauf zurückzuführen sein, das Bilefeld geborener Däne war. Vgl. *Pipping*, Gotländska studier, 72 ff.

den ins Ende des 13. Jahrhunderts datiert wurde. In diesem Paragraph befindet sich der Ausdruck *þan sum bloþi ier nestr* (=derjenige welcher dem Verwandtschaftsgrad nach am nächsten steht). Die Form *bloþi* wird mit *bloz* im zweiten Kapitel verglichen, und Läffler, auf den Pipping verweist, hat ohne Angabe von Gründen die Schlussfolgerung gezogen: ,,Es dürfte nicht daran gezweifelt werden können, dass *bloz* hier eine ältere Phraseologie repräsentiert, *bloþi* eine jüngere"[6]. Läffler und Pipping nehmen also deswegen eine sprachliche Entwicklung an, weil sie zunächst aus inhaltlichen Gründen eine Datierung vorgenommen haben.

Wenn die Ergebnisse nicht stimmen, werden einfach andere Argumente angewendet. Derselbe Paragraph hat die Form *fiarrar*, von der man mit Sicherheit weiss, dass sie älter ist als die Form *fierrar*, die in anderen Partien des Rechts vorkommt. Die hierzu gegebene Erklärung läuft darauf hinaus, dass die Entwicklung ,,ia – ie" in verschiedenen Gebieten Gotlands ungleichzeitig vor sich gegangen sei und dass eine jüngere Bestimmung, wenn sie in einem konservativen Sprachgebiet niedergeschrieben wurde, sehr wohl die ia – Formen aufweisen, während eine ältere, niedergeschrieben im ie–Gebiet, die ie–Formen aufweisen kann[7]. Diese Erklärung setzt voraus, dass verschiedene Partien des Rechts tatsächlich an verschiedenen Orten auf Gotland niedergeschrieben wurden. Aber die Schlussfolgerung muss mit dieser Voraussetzung die sein, dass man gestützt auf ältere und jüngere Sprachformen überhaupt nichts nachweisen kann.

Die Hauptquelle für das Altgotländische sind gerade die Handschriften des GL. Die vorausgesetze Annahme betreffs des Alters der verschiedenen Paragraphen, hatte dabei einen bestimmenden Einfluss auf die Konstruktion der Sprachentwicklung. Ich habe deswegen solche Resultate ausser Acht gelassen, die eine Folge dieser Tendenz sind. Verwendbar sind alle jene Resultate, die nicht auf einer entwicklungshistorischen Argumentationsführung aufbauen und auch die gefundenen Übereinstimmungen mit angrenzenden Sprachgebieten. Ich habe auch als Quellenschriften –

---

[6] *Pipping*, Guta lag, XIII, *Läffler*, Antiq. Tidskrift för Sverige, V, 288, Anm. P. erwähnt in der Anmerkung, dass *Säve* eine andere Auffassung hat, Gutniska urkunder, XVIII.

[7] *Pipping*, Guta lag, XIII.

neben der HsA im Original und der Ausgabe Schlyters – Pippings Ausgabe dieser Handschrift mit den von Schlyter nachgewiesenen Abweichungen verwendet, und die diplomatische Ausgabe der HsB desselben Verfassers. Die Hinweise auf die Paragraphen habe ich nach der Ausgabe Schlyters vorgenommen. Wo nichts anderes angegeben ist, ist das GL I gemeint. Schlyters Datierung der HsA ist nicht bestritten worden, und ich habe daher seine Forschungsergebnisse angewendet.

2. Das Hauptgewicht der Untersuchung liegt auf dem Familienrecht des GL. Hinzu kommt das Strafrecht sowie kürzere Abschnitte anderer Gebiete. Was nicht beachtet wurde, sind die Bestimmungen über die Dorfgemeinschaft, entsprechend die Teile des Festlandrechts über die Nutzung des Ackerlandes.

Diese Begrenzung geht teilweise zurück auf die Ausrichtung, die diese Arbeit anfänglich erhielt durch die familienrechtlichen Theorien als Untersuchungsgebiet, teilweise auf arbeitsökonomische Ursachen hinsichtlich der Frage, was für einen Vergleich mit angrenzendem Recht fruchtbar sein könne.

Die Quellensammlungen, die ich für das nordische Recht ausser dem GL, und für das sächsische und baltische Recht angewendet habe, sind die landläufig vorkommenden. Ich habe das gedruckte Material angewendet und bin der Ansicht, dass dies solange aus arbeitsökonomischen Gründen notwendig ist, bis die Untersuchung an den Punkt angelangt ist, wo besondere Probleme benannt werden können, die dann anhand der Handschriften untersucht werden müssten.

Überhaupt will ich als allgemeine Regel für eine zukünftige grössere Arbeit angeben, dass die Untersuchung am Anfang übersichtartig und über grosse Gebiet geführt werden muss, bevor man an die Analyse von Details herangeht. Als Beispiel dafür, wohin das Gegenteil führt, kann ich eine Arbeit nennen, zu der ich im folgenden ausführlicher Stellung nehmen werde, nämlich Gösta Hasselbergs Untersuchung der Quellen zum Stadtrecht Wisbys. Diese Arbeit ist in ihren Detailanalysen ausserordentlich sorgfältig und von hohem Wert aber die Schlussfolgerungen, die den grossen Zusammenhang betreffen, sind nicht haltbar; auch schon deswegen nicht, weil die Quelle des Einflusses für viele der aufgezeigten Übereinstimmungen offenbar die Lombarda ist. Die Rechtsquellen, mit denen man gleichzeitig arbeiten muss, sind nicht nur sämtliche mittelalterlichen Rechte auf nordischem, norddeutschem und baltischem Gebiet, einschliesslich der Stadtrechte, sondern auch das gelehrte Recht.

Seitens des gelehrten Rechts ist das Hauptinteresse auf die Lombarda konzentriert worden. Diese wurde herausgegeben innerhalb der Monumenta Germaniae. Die Libri feudorum, haben für diese Untersuchung geringere Bedeutung gehabt. Ich werde sie im Kap. IX zusammen mit dem baltischen Lehnrecht behandeln.

Die Lombarda entstand gegen Ende des 11. Jahrhunderts als Ergebnis der Bearbeitung des älteren Rechts, die während dieses Jahrhunderts vorgenommen worden war. Ausgangspunkt war das langobardische Recht aus dem 7. und 8. Jahrhundert sowie die Kapitulare, die während der fränkischen Zeit entstanden. In den norditalienischen Rechtsschulen wurden die zu Unterrichtszwecken mit Randglossen und hinzugefügten Prozessformeln versehen. Frühzeitig wurden auch Hinweise auf das römische Recht angefertigt, und um 1070 wurde ein umfangreicher Kommentar zusammengestellt, die *Expositio,* mit u.a. solchen Hinweisen. Die endgültige Bearbeitung beinhaltet eine Systematisierung des Rechtsmaterials anstelle der früheren chronologischen Ordnung. Diese Version wurde beim Unterricht an der Rechtsschule in Bologna verwendet, wobei weitere umfangreiche Glossen angefertigt wurden. Es ist dieses endgültige Produkt, welches den Namen Lombarda erhielt und das in den übrigen Ländern Europas starke Verbreitung fand[8].

3. Der Vergleich mit anderen historischen Urkunden musste innerhalb dieser Arbeit mit Notwendigkeit begrenzt werden. Hier bestehen weiterhin wichtige Forschungsaufgaben. Es ist möglich, dass in diesem Zusammenhang neues Material in den Archivsammlungen des Zisterzienserordens und des Vatikans entdeckt wird. Das Kloster Roma hatte grosse Besitzungen in Estland, die im Lehensverhältnis zum dänischen König standen. Die Verhältnisse auf Gotland müssen im Zusammenhang mit der politischen Situa-

---

[8] *Ficker,* Forschungen III: 1, 2, 76 ff. *Brunner,* DR I 558 ff. Handbuch, 165 f.

tion im gesamten Ostseeraum gesehen werden, mit der dänischen Expansion des 13. Jahrhunderts beginnend, dem deutschen Vordringen, den Kämpfen zwischen den deutschen Bistümern, den Zisterziensern und dem deutschen Orden bis hin zur schwedischen Expansion und der Eingliederung Gotlands ins schwedische Reich.

Eine Theorie, die die Entstehung der mittelalterlichen Rechte erklären soll, sollte indessen von den politischen Verhältnissen ausgehen, wie sie zur Zeit ihrer Redaktion herrschten. Die Frage der Datierung wird damit zu einer Schlüsselfrage. Mein Standpunkt ist der, dass die zentralen Partien der Landrechte Ausdruck des politischen Willens der führenden Gesellschaftsgruppen sind und darauf abzielen, bestimmte Verhältnisse zu verfestigen. Dies ist völlig vereinbar mit der Einsicht, dass vieles von dem, was später zum Gegenstand der Gesetzgebung wird, zunächst als Gewohnheitsrecht entstanden ist. Eine Untersuchung der mittelalterlichen Rechte als Quellen muss also bei ihrem Charakter als Sammlung von Normen beginnen. Das Hauptinteresse muss dabei auf die Frage der Datierung ihrer endgültigen Redaktion gerichtet werden. Erst mit einem derart historisch fundierten Ausgangspunkt kann die Beurteilung der Möglichkeiten der Quellen vorgenommen werden, Fragen zum Alter der verschiedenen Partien und zur gesellschaftlichen Wirklichkeit hinter den Gesetzesbestimmungen zu beantworten.

Im Kapitel VI werde ich innerhalb eines eigenen Abschnittes Hasselbergs Untersuchung über die Quellen zum Stadtrecht von Wisby behandeln und im Kapitel VII die Lombarda und das nordische Recht. Hasselbergs Untersuchung berührt auch das GL und stellt ausserdem in methodischer Hinsicht ein Vergleichsobjekt dar. Sein Ausgangspunkt ist nämlich der traditionelle, welcher besagt, dass es möglich sei, ein ,,rein nordiches" Recht in den schwedischen Rechten des Mittelalters zu erkennen. Ein detaillierter Durchgang gewisser Partien der Arbeit Hasselbergs sowie einer Stelle bei Anders Sunesons sogenannter Paraphrase war notwendig, um darzulegen, auf welche Weise die Lombarda, auf direktem oder indirektem Weg, als Vorlage verwendet wurde. Dies ist einerseits von Bedeutung für die Beurteilung des GL als Quelle, andererseits für eine zukünftige Untersuchung. Dieser Durchgang ist demzufolge ein Teil des Forschungsprogrammes.

93

V

Die ältere Datierung von GL und GS
Neudatierung der GS

1. Eine Übersicht über die Datierung des GL und der GS, die die ältere Forschung vornahm, wird vorgestellt in der Einleitung zu Schlyters Ausgabe sowie in der Einleitung und den Erklärungen Holmbäck-Wesséns zu seiner Übersetzung des Landrechts.

Die ältesten Herausgeber meinten, bestimmte Teile des GL stammten aus heidnischen Zeiten oder aus der Zeit kurz nach der Einführung des Christentums, eine Ansicht, der sich u.a. Grimm und Wilda anschlossen. Eines der wichtigsten Argumente waren die in Kapitel 1 und 4 vorkommenden Bekenntnisse zum Christentum und die Verbote heidnischer Gebräuche. Schlyter kritisierte diese Ansicht und machte geltend, dass ähnliche Bestimmungen auch im UL und HL und im Gulatingsrecht vorkommen und dass man nicht mit Bestimmtheit sagen könne, wann die letzten Spuren des Heidentums verschwunden seien und derartige Bestimmungen damit überflüssig wurden.

Laut Schlyter enthält das GL keinerlei Partien, von denen man mit Bestimmtheit sagen könne, dass sie früher als aus der Mitte des 13. Jahrhunderts datierten. Entscheidend für Schlyters Datierung der endgültigen Redaktion war die Bestimmung, dass für nicht-gotländische Personen die Regel galt, dass die Tochter die Hälfte gegenüber dem Sohn erbte[1]. Dies beweise, dass das GL nicht entstanden sein kann, bevor das Erbrecht Birger Jarls auf Gotland bekannt wurde, d.h. frühestens während der zweiten Hälfte des 13. Jahrhunderts. Die GS wird von Schlyter in die Zeit nach 1318 datiert, weil er meint, ihre Bestimmung, dass der Königsschatz drei Jahre lang einzubehalten war für den Fall, dass ein gekrönter König aus seinem Reich vertrieben werden sollte, müsse im Zusammenhang mit der Absetzung Birger Magnussons entstanden sein.

Der heute gültige Standpunkt wird von Åke Holmbäck und Elias

---

[1] GL 24: 5, *Schlyter*, Corpus VII, V ff.

Wessén repräsentiert[2]. Dieser stellt einen Schritt zurück dar im Vergleich zur Schlyters Anschauung. Das GL ist dieser Auffassung zufolge ein sehr altertümliches Recht. Bestimmte Partien, wie etwa die obengenannten Kapitel 1 und 4, werden beurteilt als in die früheste christliche Zeit zurückgehend. Das Christentum soll angeblich von Olof dem Heiligen eingeführt worden sein, der nach der GS die Insel während seines Exils aufsuchte; daraus wird die Übereinstimmung der einleitenden Worte mit den entsprechenden Worten im Gulatingsrecht erklärt. Ebenso gibt die GS dieser Auffassung zufolge teilweise sehr alte Verhältnisse wieder in ihrer Schilderung der Vorzeit der Insel und des Vertrages mit dem König der Svea. Die wesentlichsten Partien von GL und GS werden aus Gründen, die im folgenden dargelegt werden, in die Zeit um 1220 datiert. Die Bestimmung über das Erbrecht von Nicht-Gotländern wird als späterer Zusatz angesehen.

Der Standpunkt der jetzigen Forschung baut einerseits auf Resultaten älterer Sprachforscher auf, wie Carl Säve und L. F. Läffler, andererseits auf Holmbäcks eigenen Untersuchungen des Familienrechts der schwedischen mittelalterliche Landrechte.

Innerhalb dieses Abschnittes werde ich zu den ersteren Stellung nehmen. Holmbäcks Arbeit ist bereits teilweise behandelt, und ich werde im Zusammenhang mit meiner eigenen Analyse des Erbrechts des GL in einem späteren Kapitel darauf zurückkommen.

Läffler meinte, sowohl das GL als auch die GS seien um 1220 durch die Initiative Anders Sunesons entstanden. Bereits Snöbohm hatte darauf hingewiesen, dass die GS vor 1285 entstanden sein müsse, weil sie die damals entstandene Auseinandersetzung zwischen dem Gotländern und Magnus Birgersson wegen der Pflicht zur Heerfolge nicht enthält. Schlyters Datierung der GS musste demzufolge falsch sein. Auch aus anderen Gründen meinte Läffler, die Bestimmung über die Einbehaltung des Köningsschatzes könne sich nicht auf die Ereignisse um Birger Magnussons Absetzung beziehen, sondern müsse im Zusammenhang mit

---

[2] *Holmbäck–Wessén,* IV, LXIV ff., 296 ff., 314 ff. KLNM, Schlagwörter „Gutalagen" und „Guta Saga".

Sverker Karlssons Vertreibung nach der Schlacht bei Lena im Jahre 1208 entstanden sein. Die Aufzeichnung der GS sei irgendwann nach Sunesons Besuch auf Gotland im Jahre 1207 begonnen worden als Resultat seines Interesses für die Vorzeit der Insel und habe im Jahre 1220 in fertigem Zustand vorgelegen. Als literarisches Vorbild soll Saxo Grammaticus gedient haben[3].

Das Kapitel 5 der GS − gemäss Schlyters Einteilung − behandelt Gotlands Vereinigung mit dem Stift Linköping sowie die Pflichten und Rechte des Bischofs. Die selben Bestimmungen finden sich teilweise auch in einem Brief, ausgefertigt in Linköping von Anders Suneson und Bischof Bengt zwischen 1220 und 1223. Der Brief ist erhalten in einem Schreiben des Legaten Wilhelm von Modena aus dem Jahre 1226, worin dieser den Inhalt des abgeschriebenen Briefes bestätigt[4]. Schlyter konstatierte, dass dieser Brief der GS als Vorlage gedient haben müsse[5]. Läffler dagegen legte das Gewicht auf die Unterschiede und beanstandete gewisse Ungleichheiten sowohl im Inhalt als auch in der Ausdrucksweise. Der gotländische Text könne demzufolge seiner Ansicht nach keine Abschrift aus dem Lateinischen sein. Das Gegenteil sei ebensowenig denkbar. Läffler schloss daraus, dass die Texte unabhängig voneinander entstanden seien, die GS wahrscheinlich etwas früher als der Brief[6].

Pipping wies auf die Möglichkeit hin, dass die gesamte GS ursprünglich auf Latein abgefasst sein durfte und dass die HsA eine Abschrift erster Hand von einer Übersetzung sei. Er führt mehrere Belege dafür an, dass der schwedische Text lateinische Konstruktionen nachgebildet haben könne[7]. Seine zweite Erklärung ist die, dass derjenige, der die GS aufzeichnete, des Lateinischen mächtig gewesen sei aber auf Schwedisch geschrieben habe. Die letztgenannte Erklärung wurde akzeptiert, die erstere ist dagegen niemals diskutiert worden. Der Brief Anders Sunesons hat ebenfalls Bedeutung erhalten für die Datierung des GL. Seine Äusserung in der Einleitung des Briefes über den Nutzen, aufgezeichnete

---

[3] *Läffler*, Lena 137 ff.
[4] DS I 832, 837.
[5] *Schlyter*, Corpus VII, VI, Anm. 28.
[6] *Läffler*, Lena 164 ff.
[7] *Pipping*, Guta Lag IV.

Gesetze zu haben, ist zum Nachweis dafür erklärt worden, er selbst habe die Initiative zur Aufzeichnung des GL ergriffen. Holmbäck–Wessén drückt dies in folgender Weise aus: ,,Aus des Erzbischofs Worten geht deutlich hervor, dass zu dieser Zeit keine schriftliche Aufzeichnung des gotländischen Rechts existierte. Aber worauf sie eigentlich hinweisen, ist auch, dass das Recht auf Gotland aufgezeichnet werden sollte. Diese ganze Einleitung hätte sehr gut ihren Platz als ein Vorwort zum GL einnehmen können"[8].

2. Sowohl GL als auch GS sind also gemäss der herrschenden Auffassung um 1220 entstanden, u.z. durch mehr oder weniger direkte Einflussnahme Anders Sunesons. Wie haltbar sind die Argumente für diese Hypothese?

Läfflers Einwand gegen Schlyters Annahme, die GS habe dem Briefschreiber als Vorlage gedient, entbehrt jeder Grundlage. Es existiert durchaus kein Anlass, eine hundertprozentige Übereinstimmung zu erwarten weder in formaler noch in inhaltlicher Hinsicht. Der Brief wurde auf Latein verfasst, die GS auf Gotländisch. Wenn die GS ausserdem später als der Brief geschrieben wurde, so ist es völlig natürlich, dass sie eine grössere Anzahl Bestimmungen enthält als die Vorlage. Es existiert also keine Veranlassung, die GS aus diesem Grund ins Jahr 1220 zu datieren. Ebensowenig existiert ein Beweis dafür, dass Suneson bei der Entstehung mitgewirkt haben soll. Läffler bewegt sich nur in Vermutungen, wenn er annimmt, der Erzbischof habe die Gotländer ermahnt, ihre Vorgeschichte niederzuschreiben.

Derjenige, der zuletzt und am ausführlichsten dafür argumentiert, dass Anders Suneson bei der Entstehung des GL mitgewirkt habe, ist Sigvard Skov[9]. Seine Argumente sind die folgenden:

AS' Ausspruch im Brief zwischen 1220 und 1223 über das Wünschenswerte einer schriftlichen Aufzeichnung der Verhältnisse auf Gotland.

AS' Besuch auf Gotland im Jahre 1207.

AS' Mitwirkung bei mehreren Auseinandersetzungen mit den Gotländern wegen deren Abgaben an die Kirche.

---

[8] *Holmbäck–Wessén* IV, LXXII, 297.
[9] *Skov,* Anders Suneson og Guterloven.

Die Übereinstimmungen zwischen GL und der Paraphrasierung des SkL.

Die ersten drei Argumente sind bereits von älteren Wissenschaftlern angeführt worden. Diese Umstände können indessen vollauf zufriedenstellend erklärt werden mithilfe des Hinweises auf die Amtsobliegenheiten Sunesons in seiner Eigenschaft als Primas der schwedischen Kirche. Als besonders wichtiges Indiz wurden Sunesons Erklärungen über die Notwendigkeit, geltendes Recht schriftlich aufzuzeichnen, angeführt. Dieses Argument baut indessen − was unten gezeigt werden soll − auf ein Missverständnis bezüglich des Inhalts des Briefes.

Mit dem letzten Argument will Skov zeigen, dass Suneson eine Reihe seiner Wünsche bei der Redaktion des GL durchgesetzt habe. Diese sollen die folgenden gewesen sein:

a. Das GL ersetzte die Rache durch Wergeld.

b. Die Sippenverantwortlichkeit wurde abgeschafft.

c. Ein Totschläger, der kein Wergeld zahlte, wurde für friedlos erklärt.

d. Doppelte Busse gilt für Bruch des Hausfriedens.

e. Regeln um Treu und Glauben sowie die Freilassung von Sklaven wurden eingeführt.

f. Dazu kommen sprachliche Entsprechungen. GL 13: ,,en so illa cann bieras miþ fianda raþi" stimmt überein mit der Paraphrase ,,instigante humani generis inimico" und GL 6: ,,tager wiþr" stimmt überein mit Ähnlichem im JL. Die erste Formulierung wird von Skov als ,,Anders Sunesons Erkennungszeichen" bezeichnet.

Was Skov unter a) anführt, ist indessen im GL überhaupt nicht durchgeführt worden und daher als Argument völlig fehl am Platze. Das GL hat in allerhöchstem Grad das Recht auf Rache beibehalten, dies sogar während des Things[10]. Ebenso hatte der Kläger das Recht auf Rache auch gegenüber einem Priester, wenn

---

[10] GL 11. Skov gibt selbst zu, dass das GL viele Bestimmungen über die Rache enthält, weshalb seine Argumentation in diesem Punkt überflüssig erscheint. *Iuul,* SvJT 1948, 12 ff., hat auch die Darstellung Skovs in diesem und anderen Punkten kritisiert.

dieser auf frischer Tat ertappt wurde zusammen mit der Ehefrau des Klägers[11]. Dies ist eine Bestimmung, die ausserdem völlig unvereinbar war mit dem damaligen kirchenrechtlichen Standpunkt.

Die in b) aufgezählten Sippenbussen kommen nicht im GL vor, wie etwa in den Landrechten des Festlandes, aber dies beruhte offenbar darauf, dass nahe Verwandte meistens in Gütergemeinschaft lebten. Die Bestimmung, dass Sohn, Vater und Bruder des Totschlägers mit diesem fliehen und einen Friedplatz suchen sollten, zeigt, dass sie gemeinsam verantwortlich waren[12].

Die Erscheinungen, die unter c), d) und e) genannt werden, sind zu allgemein gehalten, als dass sie ein Beweis sein könnten. Sie drücken Prinzipien aus, die in vielen nordischen Rechten durchgeführt sind. Die angeführten sprachlichen übereinstimmungen schliesslich sind zu geringfügig und zu allgemein, als dass man sie an einer bestimmten Person festmachen könnte.

Gleichzeitig können Argumente dafür angeführt werden, dass Suneson wahrscheinlich nicht bei der Redaktion des GL mitgearbeitet hat. Vor allem die schlechte Systematik spricht dagegen sowie die vielen unklaren Bestimmungen in diesem Recht. Das GL in seiner Ganzheit trägt wirklich nicht ,,Anders Sunesons Erkennungszeichen". Dasselbe kann von anderen sehr charakteristischen Zügen gesagt werden. Ausser der oben genannten Bestimmung bezüglich der Hurerei von Priestern kann der Schutz des GL für den Grund und Boden des Geschlechts genannt werden. In der sog. Paraphrase Kap. 19 diskutiert Suneson verschiedene Ansichten zur Frage des Vorkaufrechtes der Verwandten am Boden. Laut Alternative 1 muss der Verkäufer lediglich 3 Mark Bussgeld an den nächsten Anverwandten zahlen, wenn er diesem das Land nicht zuerst zum Verkauf angeboten hatte. Laut Alternative 2 darf der Käufer den Boden nicht behalten, es sei denn der Verkäufer kann nachweisen, dass er den verkauften Grund und Boden den Verwandten zuerst zum Verkauf angeboten hatte. Suneson kommentiert, dass die Alternative 1 von den gelehrten Männern für die verständigste gehalten werde. Es war dies allerdings ein sehr

---

[11] GL 21:pr.
[12] GL 13.

grosses Bedürfnis der Kirche, das Recht der Verwandten auf den Boden zu begrenzen – man vergleiche hiermit, dass das GL dasjenige Landrecht ist, das innerhalb des Nordens den Verbleib von Grund und Boden in der Familie durch die Androhung der Todesstrafe für ungesetzliche Landveräusserung den stärksten Schutz bietet[13]. Die Interessen der Kirchen sind also nur sehr ungenügend berücksichtigt bezüglich dieser beiden vitalen Punkte.

Als wichtigstes Argument für die Mitwirkung Anders Sunesons bei der Entstehung des GL ist dessen Äusserung im obengenannten Brief über die Notwendigkeit, geltendes Recht schriftlich zu fixieren. Daraus hat man also geschlossen, dass das GL noch nicht in schriftlicher Form vorgelegen habe.

Eine Analyse des Brieftextes zeigt indessen, dass es keineswegs berechtigt ist, einen solchen Schluss zu ziehen.

Der Brief ist eine unvollständige Urkunde, die im Jahre 1226 vom päpstlichen Legaten Wilhelm beglaubigt wurde. Die Urkunde wird in gebräuchlicher Weise mit Intitulatio und Grussformel eingeleitet. Dann folgt eine Gedächtnisformel:

,,Porro, quia dissensiones et litigia frequenter oriuntur ex eo, quod ipsa iura sive statuta, secundum quae vivendum est omnibus in simul degentibus, dum scripta non habentur, per oblivionum iacturam vel penitus elabuntur, vel in diversa studia pro libitu cuiuscunque variasque opiniones distrahuntur, unde perutile fore censetur, ea scripto commendari, ut tam errori quam pravae voluntati tollatur occasio . . .'' usw.

Darauf folgt die Narratio:

,,Hinc est quod insula Gothlandiae, sicut longo maris tractu ab aliis terris separatur, sic illius incolae in iure positivo et consuetudinario tam seculari quam Ecclesiastico ex magna parte variantur ab aliis populis.''

Danach wird behauptet, Gotland habe sich seinerzeit freiwillig den kirchlichen Autoritäten von Linköping unterworfen. Bei dieser Gelegenheit seien dann die Bedingungen für die Pflichten und Rechte des Bischofs aufgestellt worden. Der Bischof hatte dieser

---

[13] GL 63:2.

Aufstellung zufolge kein Recht, Gotland öfter als einmal in drei Jahren zu visitieren. Danach wird ausgeführt, welche besonderen Abgaben der Bischof bei diesen Visitationsreisen erheben konnte.

Die Worte der Gedächtnisformel sollen also beweisen dass Gotland kein niedergeschriebenes Recht besass. Diese Worte besagen, dass die Gesetze und Verordnungen, nach denen man zu leben habe, nicht niedergeschrieben seien. Aber die Formel zielt hier ebenso wie in anderen Urkunden auf nichts anderes als auf die Bestimmungen, die durch und mit der Urkunde erlassen wurden. Es sind also die Visitationsbestimmungen, die nicht aufgeschrieben sind. Sucht man eine Bezugnahme auf das GL, so muss man diejenigen Worte der Narratio betrachten, die besagen, dass sich das gotländische Recht von anderem Recht unterscheide, sowohl das weltliche als auch das kanonische. Der Begriff *iure positivo* steht im Gegensatz zu *consuetudinario* und scheint eher auf geschriebenes Recht hinzudeuten. Darüber hinaus ist es eine andere Frage, in welchem Grad man aus dergleichen Formeln und erzählenden Partien von Urkunden Schlüsse in bezug auf die wirklichen Verhältnisse ziehen kann. Ganz allgemein liegt die Vermutung nahe, dass ein um 1220 geschriebenes Recht in irgendeiner Form existiert haben muss; wenigstens hinsichtlich des Verhältnisses zum Kloster von Roma, das bereits damals 50 Jahre alt war und sich ansehnliche Güter verschafft hatte[14]. Wir können doch natürlich nicht wissen, wie sich solche etwaigen schriftlichen Rechte zum GL, in der Form, in der wir es kennen, verhielten.

Bis jetzt sind folglich keine haltbaren Belege dafür vorgelegt worden, dass Anders Suneson direkt bei der Entstehung von GL und GS mitwirkte. Dagegen hat er sehr wahrscheinlich indirekt eine wichtige Rolle gespielt für die nordische Rechtsstiftung des Mittelalters überhaupt, was in einem späteren Abschnitt mit Bei-

---

[14] Die momentane Diskussion ist davon ausgegangen, dass Anders Sunesons Brief ebenso wie dessen Bestätigung echt seien. Der erstgenannte Brief wurde dann, doch ohne Angabe von Gründen, als unecht eingestuft, DD 1: 5, s. 145, und es besteht die Möglichkeit, dass beide Schriftstücke gefälscht sind. Für diesen Hinweis danke ich dem Dr. theol. Jan Liedgren. Da diese Briefe eine so grosse Rolle spielten für die ältere Diskussion, habe ich mich indessen dafür entschieden davon auszugehen, dass sie echt sind. Als positive Belege lassen sie jegliche Bedeutung für meine Argumentation vermissen.

spielen belegt werden wird. Es existiert auch eine grössere Anzahl bedeutsamer Übereinstimmungen zwischen dem GL und dänischen Rechten als Skov gezeigt hat.

Die Frage nach eventuellen Vorlagen der GS muss hintenangestellt werden bis eine vollständigere Textstudie durchgeführt werden kann. Läffler berührte doch etwas Wesentliches als er Saxo Grammaticus' Werk als Vorbild der GS bezeichnete. Lauritz Weibull hat später gezeigt, dass Paulus Diaconus' ,,Historia Langobardorum", die von der Auswanderung der Langobarden aus Skandinavien berichtet, auf die Griechische Geschichte des Herodot zurückgeht. Die ,,Historia Langobardorum" liegt ihrerseits einer Serie von mittelalterlichen Wanderungsberichten zugrunde: nämlich demjenigen des Dudo über die Normannen, des Saxo Grammaticus über die Dänen, die nach Italien ausgewandert sein sollen und den Namen Langobarden angenommen haben, und schliesslich dem Bericht der GS über die Auswanderung der Gotländer (=Goten) nach Griechenland[15].

Dadurch erscheint Pippings zweite Erklärung, dass die GS eine lateinische Vorlage hatte, sehr wahrscheinlich richtig zu sein.

Die Bestimmung über die dreijährige Einbehaltung des Königsschatzes haben sowohl Schlyter als auch seine Gegner in den Zusammenhang mit der Datierungsfrage gestellt.

Aber man sollte fragen, warum die Länge der Streitereien bei einer besonderen Gelegenheit normierend werden sollte hinsichtlich der Beurteilung der Frage des Königsschatzes. Die einfachste Erklärung ist die, dass drei Jahre der oft genannte Zeitraum der Landrechte ist, nach dessen Ablauf ein gewohnheitsrechtlicher Besitzanspruch geltend gemacht werden konnte und innerhalb dessen man also seine Ansprüche angemeldet haben musste, wollte man seines Rechtes nicht verlustig gehen. Eine solche Bestimmung muss während der gesamten, hier in Rede stehenden Zeit als notwendig angesehen worden sein.

In der älteren Forschung hat man auch das Jahr 1285 als einen Terminus ante quem hinsichtlich der Entstehung der GS be-

---

[15] *Weibull,* En forntida utvandring från Gotland.

zeichnet. Am ausgeprägtesten findet sich diese Ansicht bei Yrwing vertreten, der meint, die GS müsse „mit absoluter Gewissheit" vor 1285 entstanden sein[16]. Er geht dabei offensichtlich von der Auffassung der älteren Forschung aus, nach der die Bestimmungen über die *ledungslame* (=Ersatzleistung für nicht erfolgten Kriegsdienst zur See) in der GS und in Magnus Birgerssons Brief sich widersprechen und dass die GS die Bestimmungen des Briefes beinhalten müsste, wenn sie nach dem genannten Zeitpunkt zustande gekommen wäre.

Als Einwand reicht es aus, wenn man anführt, dass die GS sehr gut später als der Brief entstanden sein kann, ohne deswegen dessen Bestimmungen aufzuführen. Yrwing geht ebenso wie die ältere Forschung davon aus, dass die GS objektiv die Existenz aller Übereinkünfte und Diktate der schwedisch–gotländischen Beziehungen darstellt. Dies ist aus quellenkritischen Gesichtspunkten prinzipiell ein falscher Ausgangspunkt. Hinzu kommt, dass die unten nachgewiesene Tendenz der GS diese Voraussetzung unhaltbar macht. Der Brief von 1285 ist ausserdem keine „Übereinkunft" oder etwa ein „Vertrag" als der er in der älteren Forschung eingestuft wurde[17], sondern eine einseitige Bekanntmachung Magnus Birgerssons über ein Abkommen, das zwischen seinen Abgesandten und den Gotländern geschlossen worden sein soll, u.a. über die Heerfolge[18].

Man muss auch Yrwings Interpretation des Briefes stark in Frage stellen, nach der der Brief etwas entscheidend Neues im Verhältnis zwischen der Insel und dem Festland mit sich gebracht haben soll. Dadurch soll angeblich ein staatsrechtliches Verhältnis von ganz anderem Charakter als das alte Tributverhältnis entstanden sein. Was Yrwing mit letzterem meint, ist unklar. Er weist

---

[16] *Yrwing*, Gotland, 51.
[17] *Yrwing*, Gotland 65 ff. *Axelsson*, Dansk annalistik, 86.
[18] Der Brief, DS 815, ebenso wie eine Bestätigung des von Magnus Eriksson im Jahre 1336 ausgefertigten, DS 3244, ist nur in einer späten Abschrift überliefert und beinhaltet offensichtlich einen Fehler, nämlich die Angabe, dass Bischof Lars von Linköping den Brief besiegelt habe. Einen Bischof dieses Namens gab es nicht in Linköping im Jahre 1285. Herman Schück, der darauf in Ecclesia, 62, Anm. 10, hingewiesen hat, nimmt an, der Schreiber habe 'L' statt 'B' gelesen. Dies würde voraussetzen, dass der Name des Bischofs im Original lediglich mit einem Initial angegeben worden wäre. Es ist eher begründet, die Echtheit dieses Briefes in Frage zu stellen.

auf Inseln hin, die gegenüber Norwegen steuerpflichtig waren und glaubt damit ein Tributverhältnis definiert zu haben.

Dabei ordnet er dann auch Gotland analog unter ein solches Tributärverhältnis ein[19]. Eine derartige Konstruktion aber ist nicht zulässig. Gotlands Verhältnis zum Festland muss in solchen Quellen nachgewiesen werden, die dieses auch berühren und nicht irgendwoanders. Yrwing selbst hat gezeigt, dass der Tribut nach den Bedingungen der Heerfolge nach ÖgL B 28 berechnet wurde, wo die Hundertschaften der Küste an Köning und Jarl Nach den selben Quoten Tribut zahlten wie in der GS angegeben. Dies ist ein deutlicher Hinweis darauf, dass der Tribut als eine Form von Ablösungssteuer für die Heerfolge betrachtet werden muss, die für Gotland lediglich als Verpflichtung für Kreuzzüge übrig geblieben war[20].

Für Yrwings Gedankenführung ist es auch wichtig, den Brief von 1285 als eine Bestimmung über die obligatorische Heerfolge im Unterschied zur Wahlfreiheit der GS hervorzuheben. Aber auch laut Brief haben die Gotländer Wahlfreiheit, wenn sie nämlich meinen, dass sie zu Hause bleiben müssten, um die Insel zu verteidigen. Der Unterschied liegt darin, dass in der GS die Wahlfreiheit die Hauptrolle spielt, während sie im Brief als ein Zugeständnis erscheint.

Meiner hier dargelegten Ansicht zufolge findet sich also im Brief von 1285 nichts, was derartige für die Zukunft bindende Veränderungen beinhaltete, dass der Inhalt der GS unangemessen gewirkt haben könnte, wenn er nach dem Brief verfasst worden wäre. Was sagen denn die Urkunden über die Besteuerungsverhältnisse auf Gotland nach 1285?

Die Ledungslame ebenso wie der Tribut werden als jährliche Ausgaben in einer Auseinandersetzung zwischen Birger Magnusson auf der einen Seite und Stadt und Land auf Gotland auf der anderen während des Jahres 1313 genannt[21]. Am 25.8.1320 hebt Magnus Eriksson die Erhöhung des Tributs wieder auf, die Birger

---

[19] *Yrwing,* Gotland, 61 f.

[20] Dies ist offensichtlich auch Bolins Ansicht, Ledung och fräls, 157, gegen den sich Yrwing wendet. Bolin spricht sich darüber jedoch nur in einem einzigen Satz aus.

[21] Diese Angabe findet sich nur in der Chronik Olaus Petris.

den Gotländern auferlegt hatte: *super tributum vestrum annuum solitum et antiquum*[22]. In einem am selben Tag ausgestellten Brief werden der Kanonikus Ödwin aus Uppsala und Sigmund Keldorsson bevollmächtigt, diesen *tributum quod nobis soluere tenemini annuatim* einzuziehen sowie *quibuscumque aliis pecunariam summis, quas ipsos nostro nomine a vobis recipere contigerit seu leuare*[23]. In Urkunden aus dem Jahre 1320 wird demzufolge nur vom Tribut gesprochen, die Ledungslame wird nicht erwähnt. Soweit die Gotländer in diesem Jahr nicht am Kreuzzuge teilnahmen, was unwahrscheinlich erscheint, hätte dieser Ersatz gemäss den Bestimmungen von 1285 bezahlt werden müssen: *Quae duo tributum et ledongslame per certum nuncium nostrum singulis annis ... in propriis sumtibus.* Die in diesem Zusammenhang relevante Schlussfolgerung läuft darauf hinaus, dass sich in den Urkunden von 1320 nichts findet, was gegen die in der GS beschriebenen Besteuerungsverhältnisse sprechen würde. Das Jahr 1285 kann daher kein Terminus ante quem sein.

Von der älteren Forschung bleiben folgende Resultate bestehend:

a. Es ist vollkommen sicher, dass die GS eine Abschrift ist. Der Schreiber der HsA hat nicht immer das Original verstanden. Die Textentstellungen sind indessen weder häufig noch schwerwiegend. Die Nähe zum Original ist offenbar.

b. Dieselbe Hand hat sowohl die GS als auch das GL der HsA geschrieben. Die Handschrift ist aus der Mitte des 14. Jahrhunderts.

c. Zwei verschiedene Verfasser haben GL und GS verfasst.

d. Die GS hatte − mindestens teilweis − eine lateinische Vorlage.

3. Was in der älteren Forschung fehlt, ist eine kritische Analyse des Textes der GS und eine Untersuchung ihrer Tendenz. Man ist davon ausgegangen, dass die GS eine getreue Beschreibung der Geschichte Gotlands ist, u.z. von der ältesten Zeit bis hin zu

---

[22] DS 2255.
[23] DS 2256. Gleichzeitige Abschrift auf Pergament.

den Verträgen mit König und Bischof, wenn auch mit Ausnahme der rein mythischen Berichte[24].

Aber es muss die Frage gestellt werden, welchem Zweck die ersten Kapitel dieser Darstellung dienen. Aus welchem Anlass hat man die Mythologie in einen Zusammenhang gestellt, in dem die detaillierte Aufzählung der Rechte und Pflichten der Gotländer gegenüber den Autoritäten des Festlandes den bedeutendsten Raum einnimmt?

Die GS wird eingeleitet mit einer Schilderung über die Besitzergreifung der Insel seitens ihrer ersten Einwohner. Das erste Menschenpaar hatte drei Söhne und teilte Gotland unter diesen dreien in Dritteile auf. Während der heidnischen Zeit hatte jedes Dritteil sein eigenes Blutopfer. Darüber stand das höchste Blutopfer der gesamten Insel. Die GS erzählt weiterhin, der Übergang zum Christentum sei ohne Zwang geschehen. Kirchen seien in grosser Zahl errichtet worden, lange bevor die Insel einen ständigen Bischof erhielt. Kurz darauf wandten sich die Gotländer in eigener Initiative an den Bischof von Linköping, da er der nächste war. Auch der Beginn der Steuerzahlungen an den König der Svea wird als freiwillig hingestellt. Die GS unterstreicht, dass die Gotländer im Kampf mit angrenzenden Ländern stets gesiegt und ihr Recht erhalten hätten.

Nach der historischen Einleitung folgen dann die Verträge mit dem Bischof von Linköping und dem König der Svea.

Die Bestimmungen, die das Verhältnis zum Bischof regeln, schliessen drei Momente ein. Das erste wird durch die Visitationsbestimmungen dargestellt. Das zweite betrifft die Rechtsprechung des Bischofs. Hier wird festgelegt, dass Streitigkeiten, die der Bischof aburteilt, nicht von einem Dritteil der Insel zum anderen verwiesen werden dürfen, sondern dass solche Streitigkeiten, die nicht im Dritteil selbst entschieden werden können an die Versammlung aller Männer der Insel verwiesen werden sollen. Des weiteren soll keiner genötigt werden, zum Festland zu reisen, es sei denn, es handele sich um so grosse Sünden, dass der Propst keine Absolution erteilen kann. Indirekt wird auch festgelegt dass es keine Nominati für das Bischofsgericht geben sollte, nämlich

---

[24] *Holmbäck–Wessén,* IV, 296.

durch die Bestimmung dass nur *kunungs aiþir* sollten auf Gotland gegeben werden. Das dritte Moment betrifft die an den Bischof zu zahlenden Bussgelder, die auf 3 Mark begrenzt werden.

Das Verhältnis zum Sveakönig ist von zwei Momenten: dem Tribut und der Heerfolge. Laut Chronik haben die Gotländer den ersteren noch während der heidnischen Zeit freiwillig in einer Höhe von 40 Silbermark an den König und von 20 Silbermark an den Jarl übernommen. Die Heerfolge betrifft lediglich Kreuzzüge. Die Gotländer erboten sich freiwillig, dem König mit sieben Kriegsschiffen zu folgen, haben aber volle Wahlfreiheit stattdessen 40 Mark für jedes nicht gestellte Kriegsschiff zu zahlen. Es wird vorausgesetzt, dass die Heerfolge gesetzlich aufgeboten war. Darüber werden detaillierte Bestimmungen angegeben, ebenso für diejenigen Fälle, in denen die Gotländer nicht ersatzpflichtig sind für eine Heerfolge, die sie übernommen aber nicht zu Ende geführt haben. Diesbezügliche Streitigkeiten sollen von königlichen Nominati entschieden werden, der von den Abgesandten des Königs ernannt werden sollen, wenn diese sich einfinden, um den jährlichen Tribut zu erheben. Aus dem Zusammenhang geht hervor, dass dies der einzige Fall ist, in dem Nominati genannt werden. Weiterhin wird die Forderung aufgestellt, dass Briefe hinsichtlich des Königsrechts nur mit dem Siegel des Königs verschlossen ausgeschickt werden dürfen und nicht etwa geöffnet.

Die einleitende Mythologie ebenso wie der ausführliche Missionsbericht, der eigentlich aus zwei separaten Teilen besteht – ein Zeichen dafür, dass die Chronik eine Verschmelzung verschiedener Quellen darstellt – haben also zum Ziel, die Selbständigkeit Gotlands gegenüber dem Festland nachzuweisen. Weiterhin geht aus der gesamten Ausrichtung der Chronik hervor, dass die Frage der Selbständigkeit der drei Bezirke Gotlands eine zentrale Rolle spielt. Das wesentliche der einleitenden Mythologie hat den Zweck, die historische Legitimität dieser Einteilung zu beweisen. Man versucht, auf gewisse ausländische, literarische Traditionen gestützt, zu zeigen, dass der gotländische Bezirk (treding) etwas anderes ist als die Bezirke des Bistums im übrigen.

Dies sei keine kirchliche Verwaltungseinheit, sondern sei mit der eigentlichen Besitznahme der Insel entstanden. Dieser Schwerpunkt in der Tendenz zeigt, dass einer der wesentlichen Gegensätze zwischen den gotländischen Pröpsten und dem Bischof des Stifts bestand.

Das Verbot, eine Angelegenheit von einem Bezirk in den anderen zu verlegen, dürfte nämlich vor allem in Interesse der Pröpste gelegen haben, weil sonst die Gefahr beständen hätte, dass die traditionelle Grundlage ihrer Einkünfte aus Bussgeldern in Mitleidenschaft gezogen wurde. Dasselbe gilt für die Begrenzung des Bussrechts des Bischofs auf höchstens drei Mark und die ablehnende Haltung gegenüber der Einführung bischöfliche Nominati auf der Insel. In dem Grade, in dem man auf Gotland zwischen einer geistlichen und einer weltlichen Aristokratie unterscheiden kann, dürften die Pröpste vor allem die Unterstützung der Grossgrundbesitzer gehabt haben. Die Einführung bischöflicher Nominati von den man sich nur noch ans königliche Gericht oder den Gerichtshof des Landrichters hätte wenden können[25], hätte das Ende der selbständigen Rechtsprechung auf Gotland bedeutet. In die Kompetenz der bischöflichen Nominati fielen u.a. für Grundbesitzer so ausserordentlich wichtige Angelegenheiten wie Eide in Bodenstreitigkeiten und betreffs Körperverletzungen[26].

4. Geht man konsequent von der hier nachgewiesenen Tatsache aus, dass die GS eine ausgeprägte Tendenz hat und eine parteiische Schrift ist und eben keine objektiv darstellende Geschichtsschreibung, wie man früher angenommen, so muss man auch davon ausgehen, dass sie in das Ereignismuster des Festlandes hineinpassen muss. Es ist zwar klar, dass Anlass zu Konflikten bezüglich der Einkünfte aus Bussen und der richtigen Instanz oder bezüglich der Visitationen des Bischofs und dem Tribut sowie der Heerfolge für den König bei vielen Gelegenheiten bestand und dass Bestimmungen darüber in verschiedenen Epochen zustande gekommen sind, aber es muss einen Zeitpunkt gegeben haben, der am besten zu der gesamten Darstellung der Chronik passt.

Ein weiteres Moment in der GS über die nachgewiesene Tendenz hinaus ist für die Datierung wichtig, dass nämlich die Gotländer offenbar in der Lage waren auf dem Festland gewisse Forderungen zu stellen.

[25] ÖgL Kk 16:pr.
[26] ÖgL Kk 13: 3.

Gegenüber dem Bischof von Linköping hatte die Insel seit langem ihre Rechte behaupten können. Aus den päpstlichen Bullen des 13. Jahrhunderts wissen wir, dass der Papst konsequent die Gotländer in ihrem Kampf gegen die Forderungen des Bischofs auf den Zehnten und auf Einfluss über die Priesterwahlen unterstützte. Auch in den Streitigkeiten über das Visitationsabkommen während der ersten Jahrzehnte des 14. Jahrhunderts haben sie ihre Sonderrechte behaupten können[27]. Das bedeutsame ist daher, dass die Gotländer laut Chronik auch gegenüber der königlichen Macht ihre Rechte und Pflichten in detaillierter Weise haben präzisieren können, die deswegen zustande gekommen zu sein scheint, um Willkür vorzubeugen. Es ist dieser letztgenannte Sachverhalt, der mich im jetzigen Stadium der Forschung geneigt macht anzunehmen, dass der wahrscheinlichste Zeitpunkt des Redaktionsschlusses für diesen Katalog von Rechten, den die GS darstellt, der Zeitpunkt der Königswahl Magnus Erikssons ist.

Die Chronik schliesst sich damit an die Reihe von Freiheitserklärungen an, denen auf dem Festland bei dieser Gelegenheit Ausdruck gegeben wurde.

Der zentrale Punkt in dem sog. Freiheitsbrief ist die Aufforderung, altes Recht und Herkommen zu achten und keine neuen Abgaben ohne die Zustimmung des Volkes zu erheben[28]. In der Wahlkapitulation wird besonders hervorgehoben, dass der König nicht die Heerfolge ausserhalb des Reiches aufbieten darf, es sei denn mit Zustimmung der Beteiligten[29]. Die Bestimmungen in der GS erhalten eine zufriedenstellende Erklärung, wenn sie in diesen Zusammenhang gesetzt werden. Das alte Tributabkommen wird angeführt, und die Urkunden von 1320 zeigen, dass die Forderungen der Gotländer respektiert worden waren. In derselben Weise wird das alte Abkommen über die Heerfolge herangezogen, und es wird ausdrücklich betont, dass die Kreuzzüge freiwillig unternommen wurden. Die Kriterien für eine gesetzlich auf-

---

[27] DS 168, 256, 411, 412, 413, 1170, 1171, 1173, 1174. *Schück*, Ecclesia, 266 ff. Was die Datierung der GS und des GL betrifft, akzeptiert Schück die ältere Ansicht, wodurch ein Teil seiner Argumentation betreffs des Verhältnisses Gotland–Schweden ihr Ziel verfehlt.

[28] DS 2199.

[29] SdmL Add. 1.

gebotene Heerfolge sind ausführlich als Schutz gegenüber unberechtigen Ansprüchen präzisiert. Die Bestimmung über die königlichen Nominati kann an und für sich ebenso in die Zeit der Regierung Magnus Birgerssons datiert werden, passt aber auch gut in das Muster des Regimes Magnus Erikssons[30].

Ebenso stimmt eine Datierung um 1319 auch mit den kirchlichen Verhältnissen überein. Die obengenannten Streitigkeiten wegen des Visitationsabkommens hatten einige Jahre zuvor eine akute Zuspitzung erfahren. Im Jahre 1316 wurde ein Schreiben an den Pabst abgeschickt wegen der Ablösung des Visitationsunterhalts durch Geldzahlungen. 1320 fanden sich die Priester auf einer Synode in Linköping ein und erklärten, dass sie es nicht schafften den Unterhalt in Naturalien aufzubringen und verlangten eine Rückkehr zum früheren Visitationssystem, wobei man auf die Art hinwies, in der der Unterhalt auf Öland bezahlt wurde. Die Bezahlung der Ablösesumme wurde dort auf drei Jahre verteilt und nach der Zahlungskraft der jeweiligen Kirche festgelegt, ein System, das dem auf Gotland entsprach. Auch die Kompetenz der Rechtsprechung der Pröpste wurde in diesem Zusammenhang wieder aktualisiert[31]. Die Bestimmungen über die Visitation waren folglich besonders aktuell während dieser Zeit, und die gotländischen Priester waren stark motiviert, diese unter besonderem Hinweis auf die Tatsache wiederzugeben, dass es sich hier um altes Recht und Herkommen handele.

Durch die hier vorgelegte Interpretation und Datierung wird die GS zu einer Magna Charta der Gotländer, eine Parallele zu den festlandschwedischen, aristokratischen Freiheitsbriefen. Dies stimmt zeitlich auch mit den sprachlichen und paläographischen Beobachtungen überein, die von älteren Forschern gemacht wurden. Diese Hypothese sollte als Ausgangspunkt dienen können für die detaillierte sprachliche Textstudie, die notwendig ist, wenn man ein definitives Resultat erreichen will.

---

[30] Über die königlichen Nominati während der Regierungszeit Magnus Erikssons s. *Ranehök,* Centralmakt.

[31] *Schück,* Ecclesia, 269 ff.

VI

Hasselbergs Untersuchung des VStL und des GL verglichen mit anderem Recht

1. In seiner Arbeit 'Studier rörande Visby stadslag och dess källor' geht Gösta Hasselberg auch auf das GL ein, u.z. in den Partien, die sein Untersuchungsgebiet berühren, nämlich das Strafrecht und das Seerecht. Hasselbergs allgemeiner Ausgangspunkt ist der, dass die Deutschen, als sie im 12. Jahrhundert im Ostseeraum vordrangen, auf ein relativ gut entwickeltes Rechtssystem gestossen seien, das auf nordischem Grund gebaut gewesen sei und geprägt von nordgermanischen Rechtsideen. Dieses Rechtssystem sei noch nicht schriftlich fixiert gewesen und wurde teilweise umgeformt durch den Einfluss deutschen Rechts, habe aber doch in einigen Partien seinen rein nordischen Charakter bewahrt. Der Ostseeraum und besonders Gotland – Wisby sei zu einem typischen Übergangsraum, geworden, in dem sich nordisches und deutsches Recht gegenübergestanden hätten, ein Ausdruck für den handelspolitischen Kampf. Dieses rein nordische Element könne in dem bewahrten Material aufgespürt werden. Dies sei gleichzeitig der Nachweis des entsprechenden handelspolitischen Einflusses. Hasselbergs Arbeit gehört zu der seit langem vor sich gehenden Diskussion über die relative Bedeutung des deutschen und des nordischen Elements bei der Entstehung Wisbys als Handelszentrum.

Die Methode, dieses nordische Element freizulegen, nimmt den Weg über eine komparative Untersuchung des VStL und angrenzende Rechtssysteme sowie deren Vergleich mit entsprechenden Bestimmungen im schwedischen Festlandrecht. Hasselberg stiess auf Übereinstimmungen zwischen dem VStL und dem GL und vor allem zwischen dem VStL und dem BR. Zum letztgenannten Recht stellt er fest, dass eine Untersuchung dieser Quellen nicht vorliege. Der deutsche Einschlag ist unverkennbar, aber dies anzuerkennen bedeute keineswegs die Verneinung dessen, dass dieses Recht ,,seinem Wesen nach überwiegend nordisch

111

ist"[1]. Der sicherste Beweis liegt für Hasselberg offensichtlich darin, dass man konstatieren kann, dass sich dieselben Entsprechungen auch in den Landrechten finden, von dem er meint, es sei weniger von fremdem Einfluss berührt[2]. In einigen Punkten dehnt er auch die Untersuchung auf den gesamten skandinavischen Rechtsraum aus.

Aus dem obengesagten dürfte hervorgegangen sein, dass Hasselberg gleich am Anfang das voraussetzt, was bewiesen werden soll, nämlich dass ein älteres, rein nordisches Recht in den mittelalterlichen Rechten aufbewahrt sei. Seine Hauptresultate sind meiner Meinung nach unhaltbar. Dagegen ist seine Untersuchung wie gesagt aus einer anderen Perspektive interessant. Daher werde ich eingehend einige der für meine Zwecke wichtigsten Abschnitte diskutieren.

Einige der Partien, in denen Hasselberg die schlagendsten Übereinstimmungen zwischen VStL und BR/LR fand, sind die Bestimmungen über die zugefügte körperliche Verletzung und die Bestimmungen über Strandgut[3].

Die Entsprechungen der Bestimmungen über Körperverletzung berühren deren Plazierung im Recht, die Kategorien und die Kombination von Bussgeldern, die für diese galten. Ich werde mit letztgennanter Übereinstimmung beginnen.

VStL unterscheidet zwischen vollständiger und minderer Wunde. Ausserhalb dieser Einteilung fallen spezielle Kategorien, nämlich Körperverletzung vermittelst Messer oder anderen Stichwaffen, Kopfverletzungen sowie Abtrennung von Körpergliedern[4].

Dieselbe Klassifikation findet sich in den LR sowie im BR mit Ausnahme der Kategorie 'Messerstiche'. Desgleichen im GL, auch wenn der Begriff 'vollständige Wunde' fehlt. Dies wurde indessen in derselben Weise geregelt wie im VStL, nämlich durch Messen mit dem Fingernagel. Im BR kommt keinerlei Messung vor. Die Definition lautet stattdessen dahingehend, dass 'vollständige

---

[1] *Hasselberg,* 34 n. 10.
[2] Loc. cit. 35.
[3] Die Darstellung von Hasselbergs Ergebnissen muss natürlich aus praktischen Gründen stark verkürzt werden. MESt und MEL nenne ich nicht besonders und die Landrechte (hier LR verkürzt) werden kursorisch behandelt.
[4] Zum folgenden s. *Hasselberg,* 284 ff.

Wunde' dann vorliege, wenn ärztliche Hilfe in Anspruch genommen werden müsse. In diesem Punkt stimmen die LR mit dem BR überein.

Die Kopfverletzung als besondere Kategorie kommt in allen hier genannten Rechten vor. Innerhalb dieser Kategorie existieren mehrere Sonderfälle: a) für Knochenverletzungen, b) für Gesichtsnarben, c) für Haarausreissen, d) für dauerhafte Gebrechen in Form von Taubheit oder Wahnsinn. Hierhin gehört auch die Abtrennung von Körpergliedern, die indessen zusammen mit den übrigen Formen von Abtrennungen von Körpergliedern behandelt werden soll.

Der Sonderfall a) ist in sämtlichen hier genannten Rechten behandelt. Er ist oft kombiniert mit erhöhter Busse, für jeden einzelnen Knochensplitter, sogar für eine bestimmte Anzahl, die zwischen 3 und 7 schwankt. Im GL und im ÖgL wird verlangt, dass die Knochensplitter „in einem Becher klingen müssen".

Der Sonderfall b) kommt ebenfalls in sämtlichen Rechten vor. Die Sichtbarkeit der Wunde ist hier das Entscheidende. Dies wird ausgedrückt durch die Bedingung, nach der kein Hut und keine Haube die Verletzung verdecken durften. Eine Unterabteilung, die es nur im VStL und im BR gibt, ist von Kiefenschaden ausgemacht.

Die Sonderfälle c) und d) werden nur im VStL und im GL behandelt. In bezug auf das Haarausreissen geht die Übereinstimmung bis in die Einzelheiten: die verletzte Fläche soll nach beiden Rechten mit dem Finger gemessen werden.

Deutsches Recht unterscheidet ebenfalls zwischen erheblichen und minderen Verletzungen, obwohl der Ausdruck 'vollständige Wunde' ungewöhnlich ist in Quellen aus der Zeit vor dem 14. Jahrhundert. Die Art, Wunden durch Messen zu klassifizieren, ist dagegen sehr verbreitet im deutschen mittelalterlichen Recht. Hinsichtlich des letztgenannten vermutet Hasselberg die Einflussnahme des deutschen Rechts auf das gotländische.

Besonders das System des GL mit abgestuften Bussgeldern in direktem Verhältnis zur Schwere der Verletzung erinnere an die sehr detaillierten Bestimmungen der friesischen Rechtsquellen über Verwundungen[5]. Die Qualifikationen 'Gesichtsnarbe' und

---

[5] *Hasselberg,* 298 mit Hinweise zu His.

'Knochenabsplitterung durch Verwundung' kommen auch im friesischen Recht vor, ebenso wie in anderen deutschen Rechten. Das Rigaische Recht auferlegt u.a. doppelte Busse für Messerstiche sowie für entstellende Gesichtsverletzungen[6].

Die Übereinstimmungen mit deutschem Recht stuft Hasselberg als allgemeiner ein als diejenigen zwischen dem GL und dem schwedischen Recht, doch mit Ausnahme der Abmessung der Verwundung. Das BR nimmt eine Sonderstellung. ,,Zusammenfassend kann konstatiert werden, dass die Übereinstimmungen zwischen VStL und BR grösser sind und mehr auffallende verbale Übereinstimmungen im einzelnen aufweisen als die Entsprechungen zwischen VStL und GL, vor allem vielleicht aufgrund der weitergetriebenen Spezialisierung des letztgenannten Rechts und seiner Detaillierung der Bestimmungen"[7].

Bei vollständiger Invalidität durch Abtrennen eines Körperteiles erkennt das VStL auf volles Wergeld für Nase und Zunge, für beide Ohren, für beide Augen, für beide Hände, für beide Füsse sowie für das männliche Glied und die Hoden. Halbes Wergeld wurde verlangt für ein Auge usw[8]. In fast sämtlichen Fällen stimmt das BR hier mit dem VStL überein.

In bezug auf Hände und Füsse hat das VStL eine bis ins einzelne gehende Skala von Bussgeldern, die ebenfalls in allen wesentlichen Punkten mit derjenigen des BR übereinstimmt. Für die Abtrennung eines Körpergliedes aufwärts bis zum Daumen wird mit aliquoten Teilen des Wergeldes die Strafe verbüsst. Für einzelne Finger wird die Busse dagegen aus einer Kombination von Gebrechen- und Verletzungsbusse berechnet mit einer Grundbusse von 3 Mark. Auf dieselbe Weise wird für das Abtrennen von Teilen des Fusses gestraft. Hasselberg stellt fest, dass es sich hier um den Streit zweier Rechtsprinzipien handelt.

Für die schwerwiegenden Verstümmelungen, bei denen die Bussen im Dezimalsystem ausgesetzt werden, werden diese auf den Betrag des Wergeldes bezogen und entsprechen einem ganzen, einem halben und einem Viertel des Wergeldes. Dieses Prinzip

---

[6] Ibid. mit Hinweisen.
[7] *Hasselberg,* 293.
[8] Zum folgenden s. *Hasselberg,* 299 ff.

wurde sogar beim Abtrennen eines Daumens sowie der grossen Zehe angewendet. Bezüglich des Abtrennens der übrigen Finger und Zehen ergeht die Busse stattdessen in Form einer Kombination von Verwundungs- und besonderer Gebrechenbusse, die sich hauptsächlich mithilfe des Duodezimalsystems errechnet. Dieses Prinzip wurde auch dann angewendet, wenn nicht der gesamte Finger sondern nur ein Glied abgehauen wurde. Die LR verwenden durchgehend das spätere Prinzip, also eine Kombination von Verwundungs- und Gebrechensbusse.

Die Bussen des GL für die Abtrennung eines Körperteiles ergehen in Wergeld ohne eine Kombination mit der Verletzungsbusse. Das GL hat ebenso wie das VStL und BR die Bestimmung, dass die Busse für das Abhacken von Nase und Zunge, 12 Mark Silber, doppelt so hoch ist wie die entsprechende Busse für Hand, Fuss oder Auge, 6 Mark Silber. Dagegen weicht das GL hiervon dadurch ab, dass diese Busse für das Abtrennen von Körperteilen lediglich bis zu einem halben Wergeld berechnet wird.

Die Bestimmungen des VStL über Zähne sind so berechnet, dass der Verlust sämtlicher Zähne das volle Wergeld kostet. Dasselbe Resultat gibt das Wo-Fragment[9]. Ein besonderer Paragraph bestimmt eine Busse für den Fall, dass die Lippen abgehauen werden, so dass die Zähne zu sehen sind. Das BR enthält keine Bestimmungen über das Abtrennen von Lippen und hat eine anders aufgebaute Skala für ausgeschlagene Zähne als das VStL. Unter den LR behandeln lediglich UL, HL und SdmL ausgeschlagene Zähne, nach einem weiteren, ebenfalls andersgeartetem Bussgeldsystem. Auch hat das GL seine eigene Skala. Ein gemeinsamer Zug im UL, VStL sowie im BR ist der, dass die Vorderzähne doppelt so hoch wie die übrigen taxiert werden. Das GL kennt die Sonderbestimmung, dass Unterkieferzähne halb so hoch veranschlagt werden wie die Oberkieferzähne.

In anderen Rechten werden gewöhnlich nur Teilbeträge des Wergeldes erhoben. Dies ist der Fall im dänischen Recht, hier am konsequentesten im JL durchgeführt. Das JL stimmt darin mit dem GL überein. Im deutschen mittelalterlichen Recht ist das Abtrennen von Körpergliedern im allgemeinen mit der Strafe der

---

[9] Von dieser Quelle, s. *Hasselberg*, 21.

Verstümmelung bedroht. Fahrlässigkeit belegt doch der Ssp mit Busstaxen, die auf dem Wergelde aufbauen. Hier übersteigt allerdings die Maximalbusse nicht das halbe Wergeld[10].

Nach diesem Vergleich meint Hasselberg, eine sehr nahe Übereinstimmung zwischen dem VStL und vor allem dem BR aufgezeigt zu haben, u.z. einerseits in der Frage der Kategorien der Körperverletzungen und andererseits in der besonderen Kombination von verschiedenen Prinzipien bei der Busstaxierung im Falle der Abtrennung von Körperteilen. Als weiterer Beleg für diesen Zusammenhang führt er Parallelen in der Redaktion dieser Gesetze an, in denen eine Stelle von Verwundungs- und Abtrennungsbestimmungen im VStL eine direkte Entsprechung im BR habe. In einigen Fällen existieren auch Entsprechungen im Wo. Hasselberg zeigt auch verbale Entsprechungen in einem Teil der Bestimmungen auf[11].

In bezug auf Strandgut stellt Hasselberg eine Vergleichstabelle für VStL, BR und GL auf[12]. Er findet, dass die Reihenfolge der einzelnen Teilpunkte völlig übereinstimmt zwischen dem VStL und dem BR und dass ausserdem eine Anzahl wörtlicher Entsprechungen vorkommen. In zwei von vier Fällen legt das BR indessen einen höheren Schadenersatz fest. Das GL kennt dieselben Fälle mit der Ausnahme, dass ein Sonderfall nicht besonders genannt wird. In bezug auf die Höhe des Schadenersatzes stimmt das GL vollständig mit dem VStL überein. Die Reihenfolge der einzelnen Teilpunkte ist indessen umgekehrt. Auch hier liegen sprachliche Entsprechungen vor.

Um eine vollständige Übereinstimmung zwischen VStL und BR zu erhalten, stellt Hasselberg unter Hinweis auf die Bestimmungen im UL die Hypothese auf, die Erstattung des Finderlohns im letzteren Recht sei ursprünglich dieselbe gewesen wie im VStL[13].

Deutsches Recht definiert die Kategorien des Fundes wesentlich anders, hat überdies bedeutend niedrigere prozentuale Ersatzbeträge und fasst ausserdem die Fundbestimmungen teilweise mit den Regeln über den Bergungslohn zusammen. Hasselberg findet

---

[10] *Hasselberg*, 313 ff.
[11] Loc. cit. 139 ff.
[12] Loc. cit. 117. VStL III: 3: 13, BR 19: pr, GL 49.
[13] *Hasselberg*, 118 f.

116

folglich, dass das VStL in diesem Punkt ,,wesentlich schwedischen Ursprungs ist"[14]. Hinsichtlich des Verhältnisses zum GL und zum BR fasst er zusammen: ,,Obwohl das VStL inhaltlich exakt mit dem GL übereinstimmt, aber etwas vom BR abweicht, scheint die Verwandtschaft zwischen dem VStL und dem BR die am stärksten hervortretende zu sein"[15].

Hasselbergs Schlussfolgerung aus dieser und anderen Analysen von zentralen Partien des Seerechts und des Strafrechts läuft darauf hinaus, dass das VStL derartige Übereinstimmungen mit dem BR und den LR zeigt, dass man ein gemeinsames nordisches Recht eines älteren Stadiums voraussetzen müsse. Die Kombination von Bussen für verursachte dauerhafte Gebrechen und solchen für zugefügte Verletzungen gehörten folglich zu einem älteren schwedischen System, das in LR aufbewahrt sei und teilweise auch im BR und im VStL. In den letztgenannten Rechten sei dieses ältere System im Begriff gewesen, durch ein neueres, von aussen kommendes System verdrängt zu werden, welches Busse für Körperverletzungen in Teilbeträgen von dem Wergelde errechnet habe.

2. Gegen diese Untersuchung müssen zunächst einige prinzipielle Einwände vorgebracht werden.

a. man kann nicht ohne weiteres eine Handschrift wie die VStL, die als Originalhandschrift eingestuft ist[16], mit Abschriften vergleichen, die sich überdies in einer unbekannten Entfernung zum Original befinden. Auslassungen und Unterschiede in der Reihenfolge können daher nicht mit anderen Vergleichsdaten zusammengeführt werden.

b. Hasselberg stellt für seine Vergleichsdaten keinerlei Auswahlkriterien auf. In der Frage des Strandgutes könnte man ebensogut behaupten, die inhaltliche Entsprechung plus die sprachlichen Entsprechungen, die auch im GL vorkommen, lassen die Verwandtschaft zwischen diesem Recht und dem VStL stärker hervortreten. Ebensogut kann die Tatsache, dass lediglich die Hälfte der verglichenen Fälle im BR inhaltlich mit dem VStL über-

---

[14] Loc. cit. 119.
[15] Loc. cit. 118.
[16] *Schlyter,* Corpus VIII, VI mit Einstimmung von *Hasselberg,* 17.

einstimmen als ein entscheidendes Argument gegen die Folgerungen Hasselbergs vorgebracht werden. Hinsichtlich der Bestimmungen zur Körperverletzung – abgesehen von den Busstaxen – zieht Hasselberg seine Schlüsse mit ähnlicher Willkür. Das GL und das VStL enthalten beispielsweise allein gewisse Kategorien wie ausgerissenes Haar, Taubheit und Verletzungen durch Schläge und Messerstiche. Wie soll dies beurteilt werden im Verhältnis zu den Entsprechungen, die nur zwischen VStL und BR existieren?

c. Der ernsthafteste Einwand ist, dass Hasselberg voraussetzt, was bewiesen werden soll, nämlich dass sich die gefundenen Entsprechungen auf eine gemeinsame Grundform älteren, rein nordischen Rechts zurückführen lassen. Dabei prüft er kein einziges Mal ernsthaft die mögliche alternative Erklärung, dass die Entsprechungen auf Entlehnungen beruhen könnten.

Nach der landläufigen historischen Methode können wir nicht nachweisen, dass einige Partien der Quelle älter sind als diese Quelle selbst, wenn wir keine historischen Belege dafür haben, beispielsweise in Form von direkten Angaben über die Entstehung oder durch ihre Gegenüberstellung mit bekannten Verhältnissen. Dies beinhaltet selbstverständlich nicht, dass man die sukzessive Entstehung der Gesetzestexte verneinen würde. Aber das Gegenteil der Behauptungen Hasselbergs kann ebensogut der Fall sein. Hasselberg führt selbst Beispiele hierfür an in seinen Ausführungen über die Entstehung der verschiedenen Versionen der Skra von Nowgorod[17].

Nun meint aber Hasselberg, seine Parallelen in der Redaktion der Landrechte seien der eigentliche Beweis dafür, dass es sich um älteres Recht handele. Hier könne man nämlich eine Kernpartie unterscheiden, die gemeinsam sei für VStL und BR und die dann mit der Zeit ausgebaut worden sei durch neue Bestimmungen, die in assoziativer Weise dem älteren Recht angefügt worden seien. Hasselberg demonstriert hier in deutlicher Weise, wie die Quellenanschauung der traditionellen Rechtsgeschichte in methodischer Hinsicht funktioniert. Das Recht soll also herangewachsen sein, wie die Jahresringe eines Baumes und innerhalb der Struktur des Gesetzesmaterials können wir ältere und jüngere Ablagerungen

---

[17] *Hasselberg*, 53 f.

feststellen. Hasselberg drückt diese Quellenanschauung auch dadurch explizit aus, dass er Reincke mit vollständigem Einverständnis zitiert[18].

Derselbe Einwand kann indessen gegen seine Argumentation vorgebracht werden, nämlich dass man voraussetzen müsse, dass die gefundene ,,Kernpartie'' älteres Recht darstelle und dass der genannte Entwicklungsprozess stattgefunden habe, also ganau das, was bewiesen werden sollte.

Im nächsten Kapitel werde ich im einzelnen auf Hasselbergs angebliche Parallelen eingehen, nachdem ich zunächst zeigen werde, dass die gefundenen Übereinstimmungen sich auf Entlehnungen aus der Lombarda zurückführen lassen. Als Hasselberg seine Dissertation schrieb, existierte bereits eine fünfzig Jahre alte Untersuchung, die zeigte, dass alle diese Verletzungskategorien und verschiedenen Busskategorien, die er im nordischen Recht gefunden hatte, auch in der Lex Rothari standen, nämlich Chr. Kiers ,,Edictus Rothari''[19]. Kier zog daraus den Schluss, dass sich die gefundenen Entsprechungen auf ein gemeinsam langobardisch-nordisches Urrecht zurückführen liessen – im Prinzip also dieselbe Erklärung wie die Hasselberg'sche. Es ist indessen offenbar, dass es sich um Entlehnung handelt und dass nicht das ältere langobardische Recht sondern die Lombarda Vorlage gewesen ist. Dies zeigt sich teilweise in den Bestimmungen, die aus der karolingischen Gesetzgebung herstammen und die zu Ergänzungen oder Änderungen im älteren langobardischen Recht angewendet werden, u. z. in den Bestimmungen über die Beweisführung. Diese werden weder von Kier noch von Hasselberg behandelt, aber sie sind in bedeutenden Teilen des nordischen Rechts völlig verwebt mit den Bestimmungen über Körperverletzung und Busse.

---

[18] Loc. cit. 42 N. 19.
[19] Die Übereinstimmungen zwischen dem langobardischen und dem deutschen Recht sind seit langem bekannt. Eine Zusammenfassung hinsichtlich des sächsischen Rechts wurde von Brunner durchgeführt. DR I, 536f. Kier unterstreicht in seinen Arbeiten ,,Edictus Rothari'' und ,,Dansk og langobardisk Arveret'' die Übereinstimmungen mit dänischem Recht aber auch mit den schwedischen Götarechten.

VII

Die Lombarda und das nordische Strafrecht

1. In dem Ed. Rothari wird lediglich der Fall behandelt, dass *eine* Hand, Fuss etc. abgehauen werden[1]

In der karolingischen Gesetzgebung ist dies folgendermassen geändert:

Si quis alterum praesumptive sua sponte castraverit et ei ambos testiculos amputaverit, integrum widrigild suum iuxta conditionem personae componat. si virgam absciderit, similiter, si unum testiculum, medietatem persolvat. Hoc de oculis manibus et pedibus vel de lingua sanctimus, ut, si unus horum abscisus fuerit, medietatem widrigild, si ambo, integritatem perfecta emendatione componere cogatur[2].

Hier sind auch neue Kategorien hinzugekommen, nämlich die Hoden, das männliche Glied und die Zunge. Zusammen mit den in dem Ed. Ro genannten Abtrennungen der Nase, der Ohren, Lippen und Zähne wowie Finger und Zehen[3], bilden sie eine vollständige Entsprechung aller Arten von möglichen Körperverletzungen, die im nordischen Recht vorkommen können.

Für die grossen Gliedmasse, d.h. bis hinunter zu Daumen und grosser Zehe, wird die Busse nach dem Wergelde berechnet in derselben Weise wie im nordischen Recht. Die Proportionen sind im grossen und ganzen dieselben, können aber für gewisse Körperteile etwas schwanken. Hierzu gehört die Bewertung von Nase und Ohren. Laut ASun ist der Verlust der Nase derart entehrend, dass ein volles Wergeld auferlegt werden sollte[4]. Dieselbe Busse findet sich im VStL und BR und im GL, während die LR schwan-

---

[1] Ro 48, 62, 68.
[2] Liber Pap. Karol. M 81. Busse für beide Arme und Beine hat auch die Lex Saxon. Man muss also auch einen direkten Einfluss der karolingischen Gesetzgebung in Betracht ziehen.
[3] Ro 48–73.
[4] ASun 65, SkL 92.

kende Bestimmungen haben[5]. In einigen Gesetzen wird das Ohr aus dem deutlich ersichtlichen Grund, dass die Ohrenverletzung durch eine Kopfbedeckung verdeckt werden kann, niedriger taxiert[6].

Es sind deutlich die schweren Körperverletzungen, auf die die folgende Erklärung abzielt:

> In omnibus istis plagis aut feritis superius scriptis, quae inter homines liberos evenerint, ideo maiorem compositionem posuimus, quam antiqui nostri, ut faida, quod est inimicitia, post acceptam suprascriptam compositionem postponatur et amplius non requiratur, nec dolus teneatur, sed sit causa finita amicitia manente[7].

Die Abtrennungen grösserer Körperglieder sind also höher taxiert, um der Rache vorzubeugen. Sie werden nach dem Wergeld berechnet. Finger und Zehen werden dagegen auf einer anderen Grundlage bestimmt. Zeige- bis kleiner Finger werden berechnet mit 16, 5, 8, und 16 Solidus, die grosse Zehe bis zur kleinen Zehe mit 16, 6, 3, 3, und 2 Solidus[8].

Die Bussen für schwere Körperverletzungen werden nicht in absoluten Zahlen angegeben, vermutlich deswegen, weil das Wergeld je nach Stand des Betreffenden schwankte. Bei Liutprand ist das Wergeld festgelegt auf 150 Solidi für *minimae personae* und auf 300 Solidi für *primi*. Dies soll gemäss der *consuetudino* festgestellt worden sein[9]. Wie das Wergeld bei Rothari errechnet wird, kann aus dem Bussgeld für vorsätzlichen Mord an einer freien Frau, nämlich 1200 Solidi, ersehen werden, für den die doppelte Busse festgelegt war[10].

In der Lombarda gibt es also zwei Prinzipien für die Erhebung von Bussgeldern bei Körperverletzungen: eines für schwere Körperverletzung, die nach dem Wergeld errechnet wurde und eines für geringfügigere, die auf der Grundlage eines anderen Systems errechnet wurde. Dies sind genau dieselben Prinzipien, die Hassel-

---

[5] VStL I: 19. BR 14: pr. GL 19: 16. Das Wergeld für einen Gotländer, 3 Mark Gold, ist ein besonderes Problem. Ich begnüge mich hier mit dem Begriff ,,volles Wergeld", da mich hier nur die Proportionen intressieren.

[6] GL 19: 6 SkL 94.

[7] Ro 74.

[8] Ro 64–67, 69–73.

[9] Liu 61.

[10] Ro 201.

121

berg im nordischen Recht gefunden hat. Sogar ein solches Detail wie die schwere Körperverletzung bis hinunter zu Daumen und grosser Zehe stimmen in den verschiedenen Rechten überein.

Wenn die Hand oder der Fuss durch den Hieb nicht vom Körper abgetrennt werden, sondern nur gelähmt sind, so ist nach der Lombarda $\frac{1}{4}$ des Wergeldes zu zahlen[11]. Gotländisches und schwedisches Recht haben entsprechende Bestimmungen mit herabgesetzter Busse in schwankendem Grad sowie Beschreibungen der Voraussetzungen der Invalidität[12].

Für ausgeschlagene Zähne wendet die Lombarda ein Prinzip an, nach dem die Vorderzähne doppelt so hoch wie die Backenzähne taxiert werden, 16 Solidi gegenüber 8. Dies wird damit begründet, dass die Vorderzähne zu sehen seien, wenn man lache[13]. Im selben Verhältnis taxieren VStL, GL und BR[14]. Dieselbe Begründung taucht auch auf im Zusammenhang mit dem Abtrennen von Lippen. Als ein Beispiel dafür, wie sehr sich diese Rechte an die Lombarda anlehnen, führe ich ein Zitat aus der Bestimmung des VStL an:

VStL I:21:2
Werd eneme de lippe af gheslaghen oder ghehowen al so dat de tenen scinen so böteme vor iowelke lippen X marc.

Ro 50
Si quis alii labrum absciderit, componat solidos 16, et si dentes apparuerint unus aut duo aut tres, componat solidos 20.

In der Frage der oben genannten Kategorien von Körperverietzung in den nordischen Rechten macht die Lombarda keinen expliziten Unterschied zwischen vollständiger und geringfügiger Wunde, dagegen kommen alle anderen Kategorien vor. Unter den Kopfverletzungen gibt es folglich Sonderbestimmungen bezüglich solcher Verletzungen, bei denen Knochen abgetrennt werden, für Gesichtsnarben und für Haar- und bei dieser Gelegenheit auch Bartausreissen[15]. Die erste Sonderbestimmung auferlegt Bussen für

---

[11] Ro 62, 68.
[12] GL 19:10, 11. *Hasselberg,* 308 ff.
[13] Ro 51, 52.
[14] VStL I: 21. GL 19:25. BR 14:2.
[15] Ro 46, 47, 384.

bis zu drei Knochensplittern, wovon wenigstens einer die Bedingung erfüllen muss, an einem Schild zu erklingen, wenn er über eine Entfernung von 12 Fuss geworfen wird. Diese eigenartige Bestimmung findet sich in mehreren nordischen Rechten. Das GL 19:38 bestimmt: ,,... *bain huert sum i scalu scieldr ier byt at marc penning til fygura baina"*. *In scutum* ist hier ausgetauscht gegen *i scalu*. Dieselbe Änderung findet sich in dänischen Rechten, während die norwegischen ,,sköld" beibehalten haben[16].

Unter den Stichwunden zählt die Lombarda Durchstiche als besondere Kategorie. Als vergleichendes Beispiel zitiere ich aus dem VStL:

Ro 57: Si quis alii brachium punxerit et transforaverit, componat solidos 16.

Ro 60: Si quis alium in coxa punxerit aut plagaverit, si transforata fuerit, componat solidus 16.

VStL I:24: Sleit en dem anderen den arm afte den scinkel vntuey de betere eme X marc.

Die Lombarda hat die allgemeine Bestimmung, dass derjenige, der den Schaden verursacht, für die ärztliche Hilfe sorgen und für die dadurch entstehenden Unkosten einstehen müsse. Solche Bestimmungen gibt es auch im VStL und den LR. Auch hier zeigt das VStL eine beinahe wörtliche Übereinstimmung:

Ro 128: De eo qui plagas fecerit ipse querat medicum.

VStL I:30: So we den anderen wundet de mot de arceden bekösteghen.

Die Lombarda kennt auch die Bestimmung, dass der Schädiger während eines ganzes Jahres nach der Tat für Totschlag angeklagt werden kann, falls der von ihm Verletzte während dieses Zeitraumes sterben sollte[17]. Derselbe Zeitraum ist im GL und im schwedischen Recht angegeben sowie im Ssp. Das VStL hat dagegen eine Frist von 30 Tagen wowie Aufhebung der Verantwortung, sobald sich der Verletzte in der Stadt zeigt. Ähnliche Bestimmungen finden sich in vielen deutschen Stadtrechten[18].

Die Entsprechungen zur Lombarda beschränken sich nicht auf

---

[16] S. *Kier*, Ed. Rothari, 133, *Holmbäck-Wessén* IV, 263, Anm. 15.
[17] Ro 74.
[18] S. *Hasselberg* 281 ff.

die Übereinstimmung in bezug auf die verschiedenen Arten der zugefügten Verletzungen sondern auch betreffend der Redaktion und den Kapitelüberschriften. Die Behandlung der Körperverletzung steht in der Lombarda in engem Zusammenhang mit einerseits Totschlag und andererseits Vergehen, die eher den Charakter von Beleidigungen haben. Im Zusammenhang mit der Körperverletzung hat die Lombarda demgemäss eine Bestimmung über leichtere Schlägereien, die den Charakter der Beleidigung haben sowie eine weitere über schwere Schlägereien mit Verletzungen im Gefolge[19].

Entsprechende Bestimmungen finden sich im VStL, auch im Zusammenhang mit Körperverletzung, nämlich die Kapitel ,,von knyppelinghe'' und ,,von dorchknyppelinghe''[20]. Als weitere Fälle von Beleidigung behandelt die Lombarda die Errichtung von Wegsperren gegenüber freien Männern, das Vom-Pferd-Zerren eines freien Mannes sowie die Freiheitsberaubung eines freien Mannes[21]. Das GL kennt im Zusammenhang mit Körperverletzung Bussen für Wegsperren sowie für die Beschädigung der Kleidung[22].

Eine andere Kategorie, die die Lombarda im Zusammenhang mit Totschlag und Körperverletzung behandelt, sind durch Tiere verursachte Schäden[23]. Im GL steht das Kapitel ,,Aff osoydom'' zwischen den Kapiteln über Totschlag und Körperverletzung[24].

In bezug auf das VStL und das GL verstärkt sich der Eindruck der nahen Verwandtschaft durch die Übereinstimmung in den Kapitelüberschriften. Als Beispiel kann ich folgendes aus dem Inhaltsverzeichnis des VStL anführen:

VStL I:38
'van morde'
I: oft en wif mordet eren man

Lombarda Lib. I Tit. IX (Vulgata)
De homicidiis . . .   14. Si mulier maritum suum (occiderit)

2. Aus redaktionellen Gesichtspunkten ist das SkL mit seiner

---

[19] Ro 41, 43.
[20] VStL I: 33, 34.
[21] Ro 27, 30, 42.
[22] GL 19: 33, 36.
[23] Ro 322–28.
[24] GL 17.

'Paraphrasierung' durch Anders Suneson von besonderem Interesse. Das SkL hat die oben genannten Bestimmungen über die Arten der Körperverletzung und den Bussgeldtaxen mit der Lombarda gemeinsam. Darüber hinaus gibt es getreuer als die anderen Landrechte die übrigen Bestimmungen wieder, die in der Lombarda mit den Bestimmungen über die Körperverletzung zusammengeführt sind. Der Verfasser des Rechts hat sich indessen nicht durchgehend der systematischen Darstellung in der Lombarda bedient, sondern er hat die Bestimmungen, deren er bedurfte, in chronologischer Reihenfolge herausgesucht. Dies ist nicht systematisch durchgeführt worden, und das Resultat ist die willkürliche Mischung, wie wir sie aus den überlieferten Handschriften kennen.

Die sogenannter Paraphrase Anders Sunesons ist offensichtlich eine Umarbeitung und Systematisierung aufgrund der Lombarda und derjenigen ihrer Bestimmungen, die das SkL ihr entliehen hat sowie auch der Gesetzgebung, die damals gerade durchgeführt worden war. Seine Arbeit hat angemessenerweise grosse Bedeutung erlangt für die nachfolgenden Gesetzgebungen in Skandinavien und ist daher von zentralem Interesse. In meiner folgenden Untersuchung beabsichtige ich, systematisch die Stellung Sunesons zur Lombarda freizulegen sowie auch zu anderen Quellen. Ausserdem werde ich die Wirkung darzustellen versuchen, die dies für andere Gesetzgebungen hatte. Für meine Studie reicht es aus, dieses Verhältnis der Lombarda zu Sunesons Arbeit an einigen Punkten zu beleuchten.

Im SkL sind die Bestimmungen über Totschlag und Körperverletzung ineinander verschränkt. In den einleitenden Kapiteln werden verschiedene Bestimmungen über die Verteilung der Busse auf die einzelnen Sippenmitglieder wiedergegeben. Mit dem Kapitel 92 beginnen auch die Bestimmungen über die Körperverletzung. Der Vergleich mit der Lombarda soll anhand der Kapitel 92–104 vorgenommen werden. Unter den folgenden Kapiteln gibt es einige, wie etwa Kapitel 113 und 114, die Entsprechungen in der Lombarda haben; bei den übrigen handelt es sich meistens um Bestimmungen über Totschlag und vor allem um prozessrechtliche Bestimmungen bei Totschlag. Die Entsprechungen mit der Lombarda schwanken stark in den einzelnen Passagen von einzelnen Punkten bis hin zu nahezu hundertprozentiger Übereinstimmung. In einigen Fällen sind deutlich mehrere Kapitel der Lombarda zu einem einzigen Kapitel des SkL verarbeitet.

Um Wiederholungen zu vermeiden, werde ich die Bestimmungen über Körperverletzung und das Abtrennen von Körpergliedern lediglich summarisch behandeln. Auf die übrigen Bestimmungen werde ich dagegen etwas ausführlicher eingehen.

SkL 92, ASun 65   /   Karol. M. 81

Beide stimmen vollständig überein mit der Ausnahme, dass das Abtrennen der Nase im dänischen Recht ebenfalls zugesetzt wird.

SkL 93, ASun 65   /   Ro 62, 68

Die Bestimmung des SkL ist eine Zusammenfassung des Schlusses von Ro 62 und 68

SkL 94, ASun 65   /   Ro 63–67

Das SkL fasst sich kürzer in bezug auf das Abtrennen von Fingern. Der Rest des Gesetzestextes bestimmt, dass bei der Entscheidung zwischen heilender Verletzung oder andauerndem Gebrechen für das schwerer wiegende Vergehen bestraft werden soll. Hierfür finden sich in der Lombarda keine Entsprechungen. Aber schwedisches Recht hat also eine Kombination von diesen Bussen konstruiert.

SkL 95, ASun 65   /   Ro 57, 59, 43

Der zweite Teil der Bestimmung SkL legt die Höchstzahl der Wunden fest, für die man bestraft werden konnte, nämlich auf höchstens fünf. Im Ro 43 werden Bussgelder für höchstens vier Wunden festgelegt. Im ersten Teil der Bestimmung des SkL wird die 'Lochwunde' und die 'Fleischwunde' behandelt. Die erstere entspricht nach der Beschreibung ASuns der ,,intra capsum" in der Lombarda.

SkL 96, ASun 45, 48

Behandelt die Haftung der ganzen Sippe, eine direkte Entsprechung existiert nicht in der Lombarda.

SkL 97, ASun 66 / Ro 41–44, 382–83

Das Kapitel des dänischen Rechts ist eine Zusammenfassung mehrerer Beleidigungsdelikte, die in der Lombarda einzeln behandelt werden.

SkL 98, ASun 53 / Ro 138

Der erste Teil dieses Gesetzestextes behandelt Schäden, die beim Fällen von Bäumen entstehen. Darauf soll näher im folgenden eingegangen werden. Der zweite Teil entspricht dem Ro 306.

SkL 98

... Dör man j brunnae annaers manz þaen aer han a ensamaen þa böte þaen aer brunnaen attae oc grauae lot fraendum hins döþae þre marc. Druknaer man j almaennings brunni þaen aer alli grannae aegho þo at en groue þa bötaes ey hin döþae ataer[25].

ASun 54

Quid juris sit, si quis in puteum specialem alicuius vel in commvnem omnibus lapsus fuerit.

Sjquis in puteum lapsus vitam finiuerit, trium marcarum solucio ad dominum ipsius putei pertinebit. Si vero puteus vniuersorum ciuium commvnis fuerit, nihil erit hoc nomine persoluendum.

Ro 306

Si aliquid in puteum alterius ceciderit et mortuum aut debilitatum fuerit, non requiratur ei cuius puteus est, quia puteus aquae communis omnium utilitatis invenitur esse.

SkL 100

Fore allaen handlösaen waþae scal man aellr bötae þre marc aellaer saeliae tyltaer eþ baþae fore horn oc fore hof oc fore hunzs tan oc allaen handlösaen waþae ...[26]

---

[25] Kommt jemand im Brunnen eines anderen um, den jener allein besitzt, so zahle derjenige, der den Brunnen besitzt und ihn ausgehoben hat eine Busse von drei Mark an die Verwandten des Toten. Ertrinkt er in einem Brunnen der Allmende, den alle Männer des Dorfes gemeinsam besitzen, obwohl ihn ein einzelner ausgehoben hat, so wird keine Busse für den Toten bezahlt.

[26] Für handlos verursachte Unglücke bezahle man entweder drei Mark oder biete den Zwölfteid, sowohl für Horn als auch für Hof und Hundezahn und alle anderen handlosen Fahrlässigkeiten.

ASun 56

Si bos vel equus vel canis hominem occiderit.

Pro morte cuiquam illata vel a boue vel equo vel cane vel quouis alio, quod mansuetam naturam et cum hominibus conuersacionem habeat, animali, tres tantum marce denariorum a domino prestabuntur. Quicumque vero tale aliquod factum negare voluerit, negacionem suam probet manus duodecime juramento, confessus vero eo nomine regi vel antistiti nil persoluet.

Ro 326

Si caballus cum pede, si bos cum cornu, si porcus cum dente hominem intricaverit, aut si canis momorderit, excepto ut supra si rabiosus fuerit, ipse componat homicidium aut dannum cuius animal fuerit, cessante in hoc capitulo faida quod est inimicicia, quia muta res fecit non nomines studium.

aut dannum glossa: Hoc dannum secundum quosdam emendatur ut plagas

SkL 104

Uapnum sinum scal man warþa. warþa mans wapn maeþ rane af hanum takin oc far man sar maeþ þem þa ma hin aer wapnin attae saectae hin aer wapn af hanum tok oc take forae þaet þrigiae marcae bot aellaer tyltaer eþ wil hin aer sar fic saecte hin aer wapn atte at han laeþae wapn sin til þaes dyli hin aer wapn atte at han laeþae ey til þaes maeþ tyltir eþe aellaer bötae þre marc. Laer man wapn sin oc warþaer man draepin bötae þre marc aellaer dyli maeþ tyltir eþ[27].

ASun 66

De appellacione fustis

... Item si quis ad nocendum alii arma concesserit, aut in tribus marcis satisfaciet wlnerato vel eius heredi, forte letali suscepto wlnere, aut concessionem negabit manus duodecime juramento.

Ro 307

Si quis alii arma sua simpliciter prestiterit, et ille qui acceperit aliquid mali cum ipsis fecerit, non reputetir illi culpa qui prestitit, sed ei qui malum cum eis perpetravit. Et e contrario si ille qui prestitit consensum ad malum faciendum habut, collega illi sit ad ipsum malum sanandum.

---

[27] Für seine Waffen soll ein jeder verantwortlich sein. Werden einem Mann die Waffen mit Gewalt entwendet und wird jemand damit verwundet, so möge derjenige, der die Waffen besitzt den anklagen, der sie ihm entwendete und drei Mark Busse entgegennehmen oder aber den Zwölfteid. Will derjenige, der die Wunde erhielt, denjenigen anklagen, der die Waffen besitzt, weil dieser seine Waffen dafür hergeliehen hat, so bezeuge der Waffenbesitzer mit dem Zwölfteid, dass er sie nicht dazu geliehen hat oder bezahle drei Mark Busse.

Ro 308

Si quis sua auctoritate arma alterius tollere presumpsit et malum cum eis fecerit, non sit illi culpa cuius arma sunt, sed illi qui cum eis malum fecit.

Von den hier übersprungenen Gesetzesstellen behandelt das SkL 99 Schäden beim Fall in Lehmgruben. Die Lombarda nennt die Möglichkeit, in Gräben zu fallen[28]. Das SkL 101–103, ASun 55, 56, 72 behandelt Schäden, die durch abgerichtete Wildtiere oder Vögel verursacht werden. Dazu gehören auch Schäden, die von Haustieren angerichtet werden können. In der Lombarda gibt es direkte Entsprechungen in bezug auf Schäden, die durch Tiere verursacht werden, aber nicht in bezug auf Haustiere. Die allgemeine Regel läuft darauf hinaus, dass der Besitzer des Tieres den Schaden bezahlen muss[29]. Dies stimmt auch mit dem SkL überein. Beiden gemeinsam ist auch die Bestimmung, dass die Bezahlung für versäumte Frondienste in barem Geld zu leisten sei. Ähnliche Bestimmungen finden sich auch für Schäden, die aus anderen Gründen verursacht werden.

Weiter unten werde ich einige Rechtstexte im einzelnen analysieren, um zu zeigen, wie sich der Redakteur des SkL und Anders Suneson zur Lombarda verhalten.

SkL 98[30]

Höggiae maen trae sammaen of faldaer ofna annan þerrae swa at han dör af þa bötae þe aer maeþ hanum hioggo fraendum hans þre marc.

Ro 138

Si duo aut tres aut plures homines arborem in unum inciderint, et alium hominem supervenientem ex ipsa arbore occiderint aut quodlibet dampnum fecerint, tunc incidentes arborem, quanticunque fuerint, ipsum homicidium aut dannum pariter componant. Et si casu faciente ab ipsa arbore aliquis ex ipsis qui incidunt mortuus fuerit, si duo fuerint collegae, medietas pretii reputetur illi mortuo, et medietatem reddat parentibus collega ipsius; et si plures fuerint, eodem modo porcio una reputetur illi mortuo et, quanticumque fuerint, vivi simul reddant summam precii, cessante faida, ideo quia nolendo fecerunt.

---

[28] Ro 305.
[29] Ro 325.
[30] Fällen Männer zusammen einen Baum und fällt dieser auf einen der Männer, so dass er dadurch stirbt, so zahle die anderen drei Mark Busse an die Verwandten des Verstorbenen.

Ipsa arbore occiderint glossa: scilicet nolendo et culpa, quia non praecclamaverunt, ut casus evitasset.

ASun 53

Si arbor succisa quempiam occiderit.
Arbor cesa si quempian ad mortem oppresserit, incisores heredi proximo tribus marcis nummorum huiusmodi eventus infortunium emendabunt. At si casu fortuito lignum lapsum de manu cuiuspiam quemquam ad mortem percusserit, qui tenebat ad integram homicidii tenebitur emendacionem.

Das SkL hat offensichtlich diejenigen Fälle behandelt, die in der zweiten Hälfte des Ro 138 vorausgesetzt werden. ASun erstreckt sich auf beide Fälle. Darüber hinaus hat er einen besonderen Fall hinzugefügt, der voraussetzt, dass nur eine einzige Person verantwortlich ist. Sowohl ASun als auch das SkL kennen verglichen mit der Lombarda nur begrenzte Bussgelder für Unfälle, die beim Holzfällen auftreten. Möglicherweise ging man davon aus, dass die Herumstehenden sich vorsichtig zu verhalten hatten. Die Glosse nennt als Bedingung für Straffreiheit, dass die Holzfäller laut warnen müssen. Sie tragen hier also eine grössere Verantwortung. Mit ASuns Zusatz kann die zweite Hälfte des Ro 145 verglichen werden, eine Bestimmung, die die Frage der Verantwortlichkeit bei Anstellung eines Baumeisters regelt:

Nam si cadens arbor aut lapis ex ipsa fabrica occiderit aliquem extraneum, aut quodlibet dampnum fecerit, non reputetur culpa magistro, sed ille qui conduxit ipsum dannum sustineat.

In diesem Falle trägt also der Auftraggeber allein die Verantwortung, sei nun der Schaden durch die unfreien Arbeiter oder durch – gemäss der nordischen Terminologie – ,,handalöst vådaverk" verursacht. Letzteres wurde nach dem SkL mit lediglich drei Mark verbüsst[31].

Ich führe hier ein weiteres Beispiel aus dem Abschnitt über die Körperverletzung an, um zu zeigen, wie Suneson arbeitete. Es handelt sich hier um die Systematisierung einiger Bestimmungen über Verletzungen, die Tieren zugefügt werden. In der Lombarda haben diese nicht den Charakter von Beleidigungen. Sie werden vielmehr als reine Eigentumsschäden behandelt und gehören nicht

---

[31] SkL 100, Anm. 26.

in die Kategorie der Körperverletzungen. Beleidigung wird dagegen, wie oben erwähnt, im Anschluss an Totschlag und Körperverletzung erwähnt. Hierunter fallen sowohl Schimpfworte als auch physische Übergriffe verschiedener Art, die keine sichtbaren Schäden hervorrufen. Anlass hierzu ist offenbar die Absicht des Gesetzgebers, unmittelbare Racheaktionen durch die Errichtung einer abgestuften Bussgeldskala zu verhindern. Das SkL 165, 166 und 168 behandeln Fälle von Tierquälerei, die gleichzeitig als Beleidigung gegenüber dem Tierhalter aufgefasst wurden. Im SkL finden diese ihren Platz im Abschnitt über die Dorfgenossenschaft, wo sie auch im natürlichen Zusammenhang innerhalb der anderen Bestimmungen über die Haustiere stehen. ASun zählt diese dagegen im Anschluss an den Aufbau der Lombarda unter den Bestimmungen über die Körperverletzung auf. In einigen früheren Kapiteln hat er eine übersichtliche Darstellung seiner Einteilung in schadenerleidende und schadenzufügende Kategorien freier Männer, Sklaven und Tiere und sämtlichen Kombinationen dieser Gruppen gegeben[32]. Dies ist also ein Beispiel für den Ausbau der Systematik der Lombarda in einer Weise, die für uns gekünstelt erscheinen mag, wenn etwa Anders Suneson den Fall, dass jemand ohne Erlaubnis das Pferd eines anderen reitet, als Körperverletzung betrachtet.

Dass Suneson die Lombarda als Vorlage verwendete erklären auch die bei ASun aufgeführten Interpretationen derselben Gesetzesstellen. In der Lombarda erscheinen ständige Hinweise auf die unterschiedlichen Ansichten der Juristen. Die Erklärungen ASuns zu verschiedenen Begriffen, angeführt in der Volkssprache finden ihre Entsprechungen in der Lombarda. Ein vertieftes Studium sollte auch Klarheit geben können wie die Kommentare und Diskussionen des gelehrten Rechts über verschiedene Interpretationsmöglichkeiten in Kombination mit dem, was über das römische Recht angeführt wurde, in der nordischen Gesetzgebung benutzt worden ist[33]. In der Lombarda werden auch die Prozessformeln ausführlich wiedergegeben, und es ist sehr wahrscheinlich, dass die direkte Rede, die sich eingestreut in den Gesetzen findet,

---

[32] ASun 70, 65.
[33] Vgl. *Weibull,* Nordisk Historia II, 563.

eine Wiedergabe solcher Formeln oder eventuell analoger Bildungen ist.

Trotz des begrenzten Rahmens der Untersuchung dürfte es nach obigem Durchgang völlig klar sein, dass Anders Suneson ebenso wie der Verfasser des SkL die Lombarda als Vorlage verwendet hat. Damit ist ein häufig diskutiertes Problem der rechtshistorischen Literatur gelöst. Die obigen Ausführungen exemplifizieren auch, in welcher Weise diese Vorlage angewendet worden ist. Es handelt sich nicht um eine rein mechanische Abschrift. Man hat vielmehr solche Bestimmungen, deren man aus der praktischen Situation heraus bedurfte, herausgesucht und sie den eigenen Bedürfnissen entsprechend umgeformt. Dabei kommen verschiedene Wertungen zum Vorschein. So kennt also das SkL für Unfälle beim Holzfällen einen niederen Verantwortungsgrad als die Lombarda[34]. Aus dieser Analyse ergibt sich, dass die Unterschiede ebenso interessant sind wie die Entsprechungen. Erst nach weitergehenden Untersuchungen wird man Schlüsse ziehen können in bezug auf die Wertungen und Systeme, die bei der Redaktion der Landrechte wegweisend gewesen sind.

Der Vergleich zeigt auch, in welcher Weise der Übersetzer die lateinischen Worte mit einem alliterierenden Ausdruck seiner Muttersprache übersetzen konnte. Aus *cornu, pede, canis* und *dente* (Ro 326) wird *horn, hof* und *hunzstan* (SkL 100). Es handelt sich hier um die Schöpfung einer Kunstprosa zur besseren Einprägung der Rechtsregeln für ein aus Laien bestehende Publikum. Was früher als Argument dafür angeführt wurde, dass das Recht vom Volk geschaffen wurde und durch die Jahrhunderte hindurch mündlich überliefert worden war, wird nun zum Beweis für die Tatsache, dass die Obrigkeit in bestimmter Absicht Normen schuf und diese zum − wenigstens auszugsweisen − Vortrag auf der Gerichtsversammlung schriftlich fixierte.

3. Im Gegensatz zur Lombarda haben die nordischen Rechte in hohem Ausmass die Beweisregeln mit den Bussgeldbestimmungen vereinigt. Der Kern der Beweisregeln ist indessen derselbe, wie

---

[34] ÖgL V 5 zeigt beispielsweise eine nähere Übereinstimmung mit der Lombarda in diesem Punkt. Vgl. UL M 6: 4.

unten gezeigt werden soll. Der Unterschied liegt darin, dass die nordischen Rechte – wo das System voll ausgebildet ist – für jedes Verbrechen mit der dazugehörigen Busse auch die anzuwendenden Beweisregeln festlegen.

Für die Beweisführung bei Körperverletzungen gibt ASun folgende allgemeine Richtlinie:

> Propter varietatem wlnerancium et varietatem wlneratorum et varietatem wlnerum et modos varios infligendi et varietatem instrumentorum ledendi variari necesse est pro wlnerum inflictione satisfaccionem pariter et defensionem[35].

Die Lombarda gibt fogendes als allgemeine Regel an:

Ro 359

Si qualisqumque causa inter homines liberos evenerit et sacramentum dandum fuerit, si usque ad 20 solidos fuerit causa ipsa aut amplius, ad evangelia sancta iuret cum duodecim aidos suis id est sacramentalibus ita, ut sex illi nominentur ab illo, qui pulsat, et septimus sit ille qui pulsatur, et quinque, quales voluerit, liberos, ut sint 12. Quod si minor causa fuerit de 20 solidis usque ad 12, sibi sextus iuret ad arma sacrata, tres ei nominet, qui pulsat, et duos liberos sibi eligat, qui pulsatur, quales voluerit, et sextus sit ipse. Et si minor fuerit causa de 12 solidis, sibi tertius iuret ad arma sacrata, unum ei nominet et alium sibi querat, et tercius sit ipse.

Expositio: In Romanorum legibus appellator causam suam testibus approbare precipitur, quod si nequiverit iureiurando se appellatus purificet.

Aus dem sehr umfangsreichen Kapitel über das Beweisrecht, werde ich hier nur auf die beiden Kernpunkte in diesen Zitaten eingehen, die mit den Grundzügen der Bestimmungen über Totschlag und Körperverletzung in den nordischen Rechten übereinstimmen, nämlich die Forderung, dass der Kläger die Anklage mit Zeugen zu untermauern habe und dass die Anzahl der Eideshelfer vom Streitobjekt, d.h. von der Höhe des zu erwartenden Bussgeldes abhängig ist[36]. Diese Forderungen wurden verschiedenartig in den verschiedenen Gesetzen ausgeformt und ein Vergleich zwischen Verbrechen und Busse muss auch die Beweisregeln berücksichtigen. Dies hat Hasselberg in seinen Redaktionsparallelen versäumt. Indem er wegliess, was unterschiedlich ist, konstruierte

---

[35] ASun 64.
[36] Für eine generelle Regel siehe beispielsweise UL M 26.

er eine Übereinstimmung, die in der Wirklichkeit nie existierte. Mit einem derartig zurechtgestutzten Text als Ausgangspunkt hat er dann einen Teil der Paragraphen als assoziativ angefügt auffassen können. Dass dies nicht der Fall zu sein braucht, merkt man sogleich, wenn man den Text in seiner Gesamtheit betrachtet.

Im BR wird in dem vergleichenden Kapitel 14 neben dem Bussgeld für jeden Schaden auch die Anzahl der notwendigen Zeugen für den Kläger angegeben, bzw. die Zahl der Eideshelfer, die der Angeklagte aufzubieten hatte. Hier findet sich auch eine direkte Übereinstimmung mit der Lombarda; hier wie dort wählte der Angeklagte die Hälfte der Eideshelfer selbst aus[37]. Die Redaktion des entsprechenden Teiles des VStL unterscheidet sich dagegen vollständig. Im VStL I:17–30, also in der Mehrzahl der Paragraphen, die Hasselberg bei seinem Vergleich mit dem BR benutzte, findet sich überhaupt keine Bestimmung über das Beweisrecht. Erst im Kapitel 33 ist folgendes festgelegt: *Bescyldighet we den anderen dat he ene ghe knyppeld hebbe can he ene des nicht vorwinnen so vntsegghe he sic sylf derde.*

Sylf derde entspricht dem *sibi tertius* der Lombarda, ebenso wie *sylf seste* in den anschliessenden Kapiteln dem *ipse sextus* entspricht. Die dazwischenliegenden Kapitel sagen also überhaupt nichts über die Anzahl der Eideshelfer. In bezug auf die Zeugen gibt das vorangestellte Kapitel 12 eine allgemeine Regel, nämlich *Nen vul tych is mer van tuen radmannen.* Daran schliessen sich präzisierte Bestimmungen über die Nationalität an. Laut VStL ist also durch das Zeugnis zweier Ratsherren der vollständige Beweis erbracht. Dabei gelten für das Hafengebiet der Stadt gewisse Sonderbestimmungen. Nach dem BR schwankt die Anzahl der Zeugen zwischen zwei und sechs, entsprechend der Grössenordnung des Streitobjektes. Es wird nicht gesagt, ob es Ratsherren sein müssen. Diese fungieren im BR zuweilen als Nominati[38]. Die Verfahrensweise unterscheidet sich entscheidend vom gotländischen Recht.

Betrachtet man die Rechte in ihrer Ganzheit, so verschwinden die behaupteten Parallelen in ihrer Redaktion. Die von Hasselberg unbeachtet gelassenen Teile haben einen abweichenden Inhalt. Er

---

[37] Ro 359.
[38] BR 12: 3.

ging hier in derselben Weise vor, auf die bereits hingewiesen wurde, und bestimmte im voraus, dass die Übereinstimmungen älteres Recht zu sein hatten. Da für diese Annahme kein Beleg existiert, muss davon ausgegangen werden, dass die Übereinstimmungen auf die Anwendung einer gemeinsamen Vorlage oder auf Entlehnung untereinander zurückzuführen sind.

Betrachtet man das Recht in seiner Gesamtheit, also die Beweisregeln einschliesslich der verschiedenen Kategorien von Körperverletzung und die Angaben über die Höhe der Bussgelder, so schält sich in einem Punkt eine bemerkenswerte Gleichheit zwischen dem GL und dem VStL heraus. Hasselberg wies darauf hin, dass die Ermessung der vollständigen Wunde für beide Rechte gemeinsam ist und mit dem deutschen Recht übereinstimme[39]. Aber auch in ihrer Redaktion scheinen sie übereinzustimmen. Gleichzeitig scheint das GL eine entstellte Auflage des VStL zu sein.

VStL

I:XII *Über die Beweisführung mithilfe von Zeugen:* Zwei Ratsherren.

I:XIII *Über Wunde und vollständige Wunde.*

:pr. bei vollständige Wunde zeugt die Wunde, der Kläger schwört selbst als sechster.

:1 vollständige Wunde liegt dann vor, wenn die Wunde einen Fingernagel tief ist. Bussgelder: der Kläger erhält 6 Mark, die Stadt 3, die Vögte $\frac{1}{2}$ Mark.

:2 Stichwunde. Beweisführung wie vollständige Wunde. Bussgelder 12, 6, $\frac{1}{2}$ Mark.

GL

19. *Über Wunde*

:pr. Wunden, die einen Fingernagel tief sind, werden mit Bussen von $\frac{1}{2}$ Mark bis zu 8 Mark bestraft.

:1 Für den Kläger zeugen zwei Ratsherren und ein Landrichter aus demselben Landkreis. Der Kläger schwört selbst zusammen mit sechs Männern, wenn die Busse 3 Mark über-

---

[39] *Hasselberg,* 292 ff.

steigt, ist sie niedriger, so genügt die Beeidung durch drei Männer.

:2 'Lochwunden' werden mit 1 Silbermark abgebüsst.

:2 Stichwunden werden mit 2 Silbermark abgebüsst.

Die Bestimmungen im GL 19:1 über die Beweisführung ist offenbar entstellt. Der Kläger kann nicht sowohl Zeugen und Eideshelfer aufbieten müssen. Es handelt sich um zwei Fälle: a) Körperverletzungen im allgemeinen, wobei verlangt wird, dass der Kläger Zeugen anführt. b) vollständige Wunde gemäss derselben Definition wie im VStL, wobei die Beeidung durch den Kläger ausreichend ist.

Die Höhe der Busse schwankt ebenso wie ihre Verteilung auf die Empfänger. Teilweise muss dies mit den unterschiedlichen Verhältnissen in der Stadt zusammenhängen. Aber im übrigen ist die Übereinstimmung derartig, dass man irgendeine Form von Entlehnung annehmen muss, entweder aus dem VStL oder von einer deutschen Quelle, die für beide gemeinsam ist. Dies ist ein Beispiel für die Probleme, die bereits auf der Ebene der Handschriften analysiert werden müssen.

4. Auch die Regelungen für Totschlag im nordischen und im deutschen Recht haben ihre Entsprechungen in der Lombarda. In beiden Fällen wird ein prinzipieller Unterschied zwischen Totschlag und Mord gemacht. Letzteres wird definiert als 'in Heimlichkeit begangen' also nicht im offenen Kampf[40]. Als erschwerender Umstand wird die Ermordung eines nahen Verwandten, des eigenen Ehegatten sowie des Hausherrn (auf dem Hof) behandelt[41].

Beim Totschlag wie bei den Körperverletzungen wird unterschieden zwischen willentlicher und fahrlässiger Handlung[42]. Erhöhtes Bussgeld wird in gewissen Prozessen auferlegt, die beim Gericht des Königs anhängig gemacht werden, wobei ein Teil der Busse für Verbrechen mit erschwerenden Umständen an den König zu zahlen ist[43].

---

[40] Ro 14.
[41] Ro 13, 163, 200, 203.
[42] Ro 305. Auch handloser Tat, Ro 138.
[43] Ro 186, 191, 200, 201.

Die grössten Unterschiede liegen hier – ebenso wie bei anderen Verbrechen – darin, dass das Prozessrecht wesentlich entwickelt wird im nordischen Recht und ebenso die verschiedenen Möglichkeiten der Bestrafung. Die Fälle für das königliche Gericht sind zahlreicher, wie auch die Bussen, die an den Bischof zu zahlen sind. Die letzteren Rechte zeigen ausserdem Erscheinungen, welche die Lombarda nicht kennt, wie etwa Sippenbusse.

Um die Signifikanz der vorgefundenen Gleichheiten zwischen späteren Rechten beurteilen zu können, muss man klar vor Augen haben, ob entsprechende Bestimmungen in der Lombarda vorkommen; denn man muss diese stets als den gemeinsamen Nenner betrachten. In bezug auf die Regelungen für den Vergleich bei Totschlag kann dabei festgehalten werden, dass das GL mit dem unterscheidenden ÄRr und VStL übereinstimmt. Die Lombarda kennt zwar auch Regelungen für das Asylrecht, die aber in anderer Weise ausgeformt sind[44]. Die genannte Gleichheit werde ich innerhalb eines späteren Abschnittes behandeln.

Zusammenfassung der Kapitel VI und VII

Das Ergebnis der durchgeführten Analyse kann wie folgt zusammengefasst werden: es wurde gezeigt:

a. die Unhaltbarkeit der Quellenbetrachtung der traditionellen Rechtsgeschichte und die darauf aufbauende Methode.

b. die Tatsache, dass es sich bei dem, was von Hasselberg zu älterem Recht erklärt wurde, in Wirklichkeit um direkte oder indirekte Entlehnungen aus der Lombarda handelt.

c. der Weg zu einer neuen Methode für die Untersuchung der Quellenlage in bezug auf die nordischen Landrechte des Mittelalters.

Dies zieht wichtige Konsequenzen nach sich für die Beurteilung des GL als Quelle. Das GL bildet in den analysierten strafrechtlichen Abschnitten einen Teil der Gesetzgebung, die über den gesamten Norden und einen grossen Teil Deutschlands verbreitet war. Die beobachteten Unterschiede in der Berechnung der

---

[44] Ro 272. Liu 142.

Bussen sind technisch-juristischer Natur. In diesem Fall steht das GL dänischem und deutschem Recht näher als dem schwedischen.

In bezug auf die seerechtlichen Bestimmungen über das Strandgut stimmt das GL bis auf die Reihenfolge vollständig mit dem VStL überein. Dieser kann wegen dem verschiedenartigen Charakter der Quellen keine allzu grosse Bedeutung beigemessen werden. Hier zeigen diese Rechte grössere Verwandtschaft mit dem schwedischen Recht als mit dem deutschen. Mit Rücksicht auf die seit dem Ende des 13. Jahrhunderts eingetretene Veränderung in den Beziehungen zwischen Wisby und den deutschen Seestädten einerseits sowie zwischen Gotland und Schweden andererseits erscheint es wahrscheinlich, dass diese Bestimmungen ziemlich spät entstanden sind.

VIII

Neuinterpretation des Familienrechts im GL

Ich werde hier wiederum an Åke Holmbäcks „Ätten och arvet" (Die Sippe und das Erbe) anknüpfen, in dem er seine Interpretation des Erbrechtes vorstellt. Dieser Interpretation wurde nicht widersprochen, und sie kann daher als der heutige wissenschaftliche Standpunkt in dieser Frage angesehen werden, zumindest, was die nordischen Rechtshistoriker angeht.

Julius Ficker ist einer der Vorgänger Holmbäcks, die dieses Thema behandelt haben. Meiner Ansicht nach kommt Ficker der richtigen Lösung bedeutend näher. Meine Auffassung stimmt in mehreren Punkten mit der seinigen überein. Die Unterschiede betreffen einerseits den entwicklungshistorischen Einfallswinkel Fickers – er glaubt, die Frau habe ursprünglich dem Manne gegenüber gleichberechtigt geerbt –, der seine Interpretation beeinflusst, andererseits in seinen völlig andersartigen Schlussfolgerungen. Ficker ist ebenfalls in hohem Grad an das langobardische Recht gebunden, das er als Muster für seine Auslegungen benutzt. Dies zieht u.a. nach sich, dass er übersieht, dass das GL im Gegensatz zum langobardischen Recht ausdrücklich zwischen Liegenschaften und Fahrhabe unterscheidet. Ebensowenig wertet er die Quellen aus, sondern wendet beispielsweise die deutsche Übersetzung an, wenn dies in seine Theorie passt, ohne die widersprüchlichen Angaben in den einzelnen Versionen zu erklären. Eine eingehende Stellungnahme zu Ficker folgt im Text und den Fussnoten.

1. Das GL kennt drei verschiedene Arten von Eigentum, als dessen Inhaber eine Frau auftreten kann, nämlich ererbtes Eigentum, Mitgift und *hogsl oc iþ*. Letzteres entsprach vielleicht der Morgengabe des Festlandes und ging gemäss 20:8 beim Tode des Ehemannes in das Eigentum der Frau über[1].

---

[1] Betreffend der Diskussion über den Gehalt dieses Begriffes, s. *K. Olivecrona, Om makars giftorätt i bo*, 208, Anm. 1.

139

Das GL schreibt nichts über das Erbe von *hogsl oc iþ* vor. Holmbäck nimmt aber an, dass 20:10 dieses Erbe behandelt[2]. Die betreffende Vorschrift lautet:

En vm quinna lutu þa liautr dotir eþa dotur barn þa en ai iru þaun til þa liautr systir eþa systur barn þa en ecki ier þaira til þa liautr faþur systir eþa faþur systur barn þa en ecki ier þaira til þa liauti nesta bloþ a fiarþa mann oc ai frammar ier ai þet til þa standr quert j garþi meþ niþium Jer kerldi gangit sic oc ier j qujnna luta cumit huat sum heldr ier af bryþr eþa systr oc iru beþin bloz iem ner þa liautin beþin[3,4].

Holmbäcks Übersetzung lautet dagegen sehr gekünstelt. *Quinna luta* musste ja im zweiten Teil des Textes dieselbe Bedeutung haben wie im ersten, worauf Holmbäck auch hinweist. Um diese Bedingung zu erfüllen und gleichzeitig *qujnna luta* als *hogsl oc iþ* interpretieren zu können, ergibt sich bei Holmbäck folgendes Ergebnis. Zunächst bestimme also diese Gesetzesstelle, dass *hogsl oc iþ* von der Tochter und der Schwester usw. geerbt werden soll. Der Satz *Jer kerldi gangit sic oc ier j qujnna luta cumit* wird alsdann mit ,,existieren keine männlichen Erben (des Mannes, nämlich die vorher genannten ,,niþiar") und ist das Eigentum, das vererbt werden soll, zu ,,hogsl oc iþ" geworden, so erbt . . .[5]. Mitten in der Aufzählung der Erben des *hogsl oc iþ*" hätte also das Landrecht erwähnt, dass die Habe zu *hogsl oc iþ* geworden sei"[6].

---

[2] *Holmbäck, Ätten, 232.*

[3] Über die Interpretation dieses Textes siehe weiter unten.

[4] GL 20:10: ,,Vom Erbe der Frau gilt, dass es von der Tochter oder von den Kindern der Tochter geerbt wird. Sind solche Erben nicht vorhanden, so erbt die Schwester oder die Kinder der Schwester. Sind solche Erben nicht vorhanden, so erbt die Schwester des Vaters oder die Kinder der Vaterschwester. Wenn solche Erben nich vorhanden sind, so erben die nächsten Blutverwandten bis hin zum vierten Glied und nicht weiter. Sind auch solche Erben nicht vorhanden, so bleibe das Erbe auf dem Hof bei den nächsten Verwandten. Gibt es keine männlichen Erben und ist das Erbe an die weibliche Linie übergegangen — sei es vom Bruder oder von der Schwester, und sind beide gleich nahe verwandt, so erben sie beide.

[5] *Holmbäck, Ätten, s 236.*

[6] *Holmbäck–Wessén* übersetzen nach Schlyter: ,,Vom Erbe der Frau gilt, dass es von der Tochter oder den Kindern der Tochter geerbt wird . . ." Hier wird freilich nicht ausgesagt, dass es sich um ,,hogsl oc iþ" handelt, muss aber gemeint sein, da sich Holmbäck-Wessén im Kommentar an die Hypothese einer besondere Erbfolge beim Erbe solchen Eigentums anschliessen und kein anderer Beleg dafür angeführt wird. *Holmbäck–Wessén* IV, 265. Prinzipiell dieselbe Interpretation wie Holmbäck vertritt Matthäus Fritz in seinem obengenannten Artikel, SZ Germ 36,

Mit dieser Bedeutung des Ausdruches erhält man also keine sinnvolle Übersetzung. Es ist völlig klar, dass *quinna lutir* keine besondere Art von Eigentum bezeichnet[7]. *Jer kerldi gangit sic oc ier j qujnna luta cumit* müsste bedeuten, dass das Erbe von Frauen angetreten werde, wenn männliche Erben fehlen[8]. Dabei ist es dann selbstverständlich, dass nur Frauen als Erben genannt werden, und diese Bestimmung ist kein Nachweis der Hypothese Holmbäcks.

Die Vererbung der Mitgift der Frau wird in 20:7 geregelt, die Vererbung des von der Frau geerbten Eigentums in 20:2 und 20:3.

GL 20:7

þa en cuna ir gipt af garþi miþ haim fylgi oc gangs eptir hana þa liautz atr j garþ sama sum han af giptis. þa en gangiz ier j þaim garþi þa liauti nesta bloþ huat sum heldr ier kerldi eþa quindi oc þaigin quindi lengra þan a fiarþa mann iru beþi iem ner þa liautj þau kerldi[9].

GL 20:2

Hafr erfilytia aign lutna þa liautr huert siþan eptir annat j hueria quisl sum þet cumbr huart sum heldr sei linda gyrt eþa gyrþlu e miþan bloz ir til. þa en gangs bloþ alt oc ir cumit vndir tua linda gyrta oc ocumit vndir þriþia þa liautr atr j garþ sama sum yr war cumit. þa en cumit ir vndir

---

250f. Fritz argumentiert gegen Ficker, der annahm, *quinna lutir* bezeichne denjenigen Teil des Erbes, der der Frau zufalle. Nach Fritz muss es sich hierbei um eine besondere Art von Eigentum handeln, auch wenn das Landrecht nicht aussage, welches Eigentum gemeint sei. Er nimmt auch (Anm. 7) an, die Tochter habe ein besonderes Vortrittsrecht in einem solchen Erbfall gehabt. Holmbäck argumentiert seinerseits gegen Frits' Vermutung, dieses Eigentum sei „Gerade", also Schmuck usw. gewesen, Ätten, 233. In der Hauptsache vertreten sie dieselbe Ansicht, nämlich dass es sich um eine besondere Art von Eigentum handele.

[7] Meine Interpretation setzt voraus, dass der Text korrekt ist.

[8] Dies ist auch *Fickers* Ansicht, Untersuchungen IV, 131.

[9] *GL 20:7:* „Hat sich eine Frau mit ihrer Mitgift vom Hofe weg verheiratet und hat sie keine Nachkommen (=meine Übersetzung, keine Söhne=Holmbäcks Übersetzung), so wird die Mitgift an denselben Hof zurück vererbt, aus dem sie ursprünglich kam. Wenn im Hof keine Erben (=meine Übersetzung, eigentlich Nachkommen des Vaters, der die Mitgift gab, d.h. Geschwister und deren Kinder, Söhne=Holmbäcks Übersetzung) vorhanden sind, so erben die nächsten Blutsverwandten, sei es ein Mann oder eine Frau, Frauen jedoch nicht weiter als bis zum vierten Glied. Stehen beide dem Verstorbenen verwandtschaftlich gleich nahe, so erbt der Mann."

þriþia oc iru allir þrir eptir sik þa steþz þar quert j garþi sum j ier cumit þau et gangis[10].

GL 20:3

Hafr erfilytia lutu lutna oc gangs eptir hana þa liautj þan sum bloþz ier nestr. þa en baþi iru iemner kerldi oc quindj þa liautj þau kerldj oc ai quindi[11].

„Ätten och arvet" zufolge erbt die Tochter nach 20:7 erst nach den Söhnen, dem Vater und den Brüdern des Erblassers, aber nach 20:2 und 20:3 schon nach den Söhnen[12]. Im obenzitierten 20:10 hätte sie sogar vor den Söhnen das Erbe angetreten. Dies zeige die sukzessive Verbesserung ihres Erbrechtes auf.

Gemäss 20:7 werde nach Holmbäck die Mitgift der Frau – wenn keine Söhne vorhanden – zunächst an den Hof des Vaters zurückfallen und dort vererbt werden. Erst wenn auf diesem Hof keine männlichen Erben vorhanden sind, gehe die Mitgift zum zweitenmal an den Hof, in den die Frau eingeheiratet hatte, und erst dann hätte die Tochter das Erbe antreten dürfen. Dieser ganz unwahrscheinlichen Theorie steht 20:4 entgegen, wo es heisst: *þar sum gangs j garþi þa liautj dotir eptir faþur senn myþrni oc faþur myrþnj*[13]. ebenso 20:6, wo bestimmt wird: *Uerþr cuna gipt j flairj garþa oc far barn j flairum þa liauti so barn sum barn myþrnj sitt*

---

[10] *GL 20:2:* „Wenn eine Erbnehmerin Grundbesitz geerbt hat, so erbt hernach einer nach dem anderen, in welche Seitenlinie des Geschlechts das Erbe auch immer gelange, seien es männliche oder weibliche Erben, so lange von den Blutsverwandten einer vorhanden ist. Nimmt die Zahl der Blutsverwandten ein Ende, und ist das Erbe schon in zweier Männer Hände gekommen, aber noch nicht zu einem dritten, so fällt das Erbe zurück an den Hof, von dem es ursprünglich gekommen ist. Wenn es aber bereits an den dritten Mann gefallen sein sollte und alle drei haben nacheinander geerbt, so bleibt es in dem Hof, zu dem es gekommen ist, auch dann, wenn keine Blutsverwandten mehr vorhanden sind."

[11] *GL 20:3:* „Wenn eine Erbnehmerin Grundbesitz geerbt hat und wenn sie (keine Nachkommen=meine Übers., keine Söhne=Holmbäcks Übers.) hat, so soll derjenige das Erbe antreten, der ihr im Verwandtschaftsgrad am nächsten steht. Stehen ein Mann und eine Frau gleich nahe, so erbt der Mann und nicht die Frau.

[12] *Holmbäck,* Ätten, 237 ff.

[13] *GL 20:4:* „Wo (männliche Nachkommen=meine Übers., Söhne=Holmbäcks Übers.) im Hof fehlen, da tritt die Tochter nach ihrem Vater ihr mütterliches Erbe sowie den mütterlichen Teil des Vatererbes an."

beþi aign oc oyra oc bryþr takin upp firi samsystrir sinar huat sum þar iru giptar eþa ogiptar[14].

þar sum gangs i garþi bedeutet also, dass männliche Nachkommen fehlen. Aber gangs *eptir hana* und *gangs bloþ alt* muss beinhalten, dass jegliche Nachkommenschaft fehlt[15]. Das Wort „gangas" sagt nichts darüber aus, welche Erben fehlen, dies dürfte aus dem Inhalt der Erbregelungen hervorgehen.

Die Erbfolge in der cognatischen Linie erscheint nach 20:2, 20:3, 20:4, 20,6 und 20:7 deutlich und klar. Die Deszendenten der Frau erben solange solche vorhanden sind, sowohl männliche als auch weibliche, und die Brüder nehmen dabei das Erbe auch für die Vollschwestern entgegen. Das Erbe kann sowohl aus Boden als auch aus beweglicher Habe bestehen. Sind Kinder aus verschiedenen Ehen vorhanden, so wird nach der Anzahl der Köpfe geteilt, nicht nach Ehen. Das feste Eigentum mütterlicherseits muss solange von anderem Eigentum getrennt gehalten werden, bis drei männliche Deszendenten nacheinander ihr Erbe abgetreten haben. Andernfalls, wie auch wenn weitere Deszendenten fehlen, fällt der Boden an den Hof zurück, zu dem er ursprünglich gehört hat und wird von den nächsten Verwandten innerhalb des Geschlechtes geerbt. Stehen Mann und Frau im selben Verwandtschaftsgrad, so erbt der Mann.

Die besonderen Rückgaberegelungen gelten also dem Boden. Im übrigen wird nicht zwischen verschiedenen Arten von weiblichem Eigentum unterschieden. Es existieren demzufolge keine Belege für die Entwicklungstheorie Holmbäcks.

Wann konnte dann aber die Frau Grund und Boden erben? Ja natürlich konnte sie, wie oben gezeigt, von ihrer Mutter Boden erben, wenn diese ihrerseits den Boden geerbt hatte. Aber wann erbte die erste Frau des Geschlechtes, wann fällt der Boden an die weibliche Linie? Dies ist offenbar der Fall, auf den mit oben zitiertem 20:10 gezielt wird.

---

[14] *GL 20:6:* „Wird eine Frau in mehrere Höfe und nicht nur in einen verheiratet und haben Kinder aus mehreren Ehen Anspruch auf das Erbe, so erben alle zu gleichen Teilen, ein Kind wie das andere, sowohl die Liegenschaften als auch die Fahrhabe, und die Brüder sollen den Erbteil ihrer Schwestern entgegennehmen, ob diese verheiratet sind oder nicht."

[15] Vgl. *Ficker,* Untersuchungen IV, 125. S. auch oben, 39, unten, 146.

143

Hier ist es auch, wo eine der Schwierigkeiten der Erbregelungen des gotländischen Erbrechtes liegen. Es finden sich keine klaren und deutlichen Bestimmungen über die Vererbung in der Manneslinie. Die vorhandenen Bestimmungen regulieren das gegenseitige Verhältnis verschiedener Gruppen von Erben untereinander. Aus diesen Bestimmungen muss dann auf die Erbfolgeordnung als ganzem geschlossen werden.

Über das Erbrecht der „niþiar" bestimmen 19:38 und 20:12.

GL 19:38 HsA

þar sum gangs j garþi þa liautin njþiar hafuþ lut sum a fiarþa mann en fiarrar ier þa taki attunda lut siþan gield iru guldin[16].

Die Hs B hat *mid Burnum* an Stelle von *sum.* Schlyter berichtigt *sinn* an Stelle von *sum* in HsA.

GL 20:12

varþa synir flairin eptir mann oc aucas af allum cann gangas epir nequara þa varin allir iem ner at lutum til fiarþa[17].

Es ist ohne Zweifel in beiden Gesetzesstellen von denselben Verwandten die Rede, also von den Brüdern und deren Nachkommen.

Wie oben gezeigt, nimmt Holmbäck eine sehr ausgedehnte Erbengemeinschaft an, „die ursprüngliche Erbengemeinschaft", bestehend aus den Mitgliedern des alten agnatischen Stammes bis hin zum vierten Verwandtschaftsgrad, als den zu dieser Zeit ältesten Erbnehmer. Zur Zeit der Niederschrift des gotländischen Landrechtes soll es teils den Söhnen gelungen sein, aus dieser Erbengemeinschaft auszubrechen, teils den Töchtern und agnatischen Enkelinnen gelungen sein, in diese Erbengemeinschaft aufgenommen zu werden; die letzteren hätten also zu gleichen Teilen zusammen mit den männlichen Erben das Erbe angetreten. Holm-

---

[16] *GL 19:38:* (HsA) „Wenn (männliche Nachkommen=meine Übersetzung, Söhne=Holmbäcks Übersetzung) im Hof nicht vorhanden sind, so erben die Verwandten je ein Hauptlos (Hs B fügt hinzu „mit den 'Burnum') bis hin zum vierten Glied. Die entfernteren Verwandten erhalten ein Achtel, nachdem die Schulden bezahlt sind . . ."
[17] *GL 20:12:* „Hat ein Verstorbener mehrere Söhne und haben alle diese Söhne Nachkommen gezeugt, stirbt aber einer ohne männliche Nachkommen (Söhne= Holmbäck), so sind alle dem Erbe gleich nahe bis hin zum vierten Glied."

bäck stützt sich hierbei auf die HsB, in der „mid Burnum" steht, ebenso wie in den Übersetzungen.

Ficker nimmt an, der Vater habe das Erbrecht beim Tode des Sohnes[18], im übrigen geht er nicht näher darauf ein, was der Begriff „niþiar" beinhalten könnte, ausser dass diese „niþiar" zum Mannesstamm gehören müssen.

Meiner Ansicht nach müsste man von den übrigen Vorschriften, die den Verkauf und die Teilung von Grund und Boden betreffen, ausgehen, um diese Erbregelungen richtig interpretieren zu können. Es zeigt sich dabei, dass es für einen Mann praktisch unmöglich war, Grund und Boden zu besitzen, solange sein Vater lebte.

GL 28:8

Engin gutniscs manz sun far schipt af feþr þoygi et hann baiþis vtan þi ains et faþir wili eþa giptis miþ faþurs wilia þa en hann scipta vill þa taki upp hafuþ lut senn af oyrum at rechning en faþir hafi bol sett o schipt oc giefi syni þaim landz laighur af oc hafuþ lut senn oc raiþi sielfr firi sir fara huert hann wil[19].

Nach dem Landrecht war es fast ganz unmöglich, auf Gotland Boden zu erwerben. Niemand dürfte den Boden seiner Väter verkaufen, ausser in äusserster Bedrängnis und dann auch nur an Verwandte[20]. Die Strafe für ungesetzliche Veräusserung von Grund und Boden war ausserordentlich hoch: Verlust des gotländischen Friedens und sogar Todesstrafe[21]. Wenn der Sohn starb, solange der Vater lebte, konnte also nur bewegliche Habe vererbt werden. Dies dürfte die Erklärung dafür sein, dass es keine Bestimmungen über das Erbrecht von Aszendenten gab.

Einen Hinweis auf das bevorzugte Erbrecht der Brüder und ihrer Nachkommen geben die vielen Vorschriften über die fortgesetzte Brüdergemeinschaft. Das Kap. 20 wird eingeleitet mit einem Ver-

---

[18] *Ficker,* Untersuchungen IV, 124.
[19] *GL 28:8:* „Kein Sohn eines gotländischen Mannes wird von seinem Vater abgefunden, auch wenn er darum bittet, ausser der Vater wünscht, oder er verheiratet sich mit seines Vaters Willen. Vill er mit seinem Sohn das Vermögen teilen, so nehme dieser sein Hauplos in Fahrhabe, nach Rechnung, der Vater aber soll seinen Hof ungeteilt behalten, und er gebe dem Sohn Zins davon nebst seinem Hauptlos in Fahrhabe und dieser möge ziehen, wohin er will . . ."
[20] GL 28: pr, 28, 3.
[21] GL 20: 13, 63: 2.

bot der Teilung, solange einer der Brüder unmündig ist. Im Kap. 28 finden sich verschiedene Bestimmungen über die fortgesetzte Brüdergemeinschaft, darüber wie Gewinne und Schulden verteilt werden, über Grundzins, über das Recht aus *hers handum*[22] auszulösen. Selbst nachdem der Nachlass aufgeteilt worden war, konnte er als Einheit verwaltet werden.

Diese Bestimmungen geben der obenstehenden Interpretation des Begriffes ,,niþiarna" in 19:38 und 20:12 weiteren Rückhalt. 20:12 spricht ausdrücklich nur von den Brüdern und deren Nachkommen, und es gibt keine Veranlassung diese Erbengemeinschaft auszuweiten. Da die weiblichen Erben stets hinter den männlichen zurückstehen, dürften männliche Nachkommen gemeint sein. Diese Erben treten das Erbe dann an, wenn es *gangs i garþi*. Schlyter und nach ihm Holmbäck übersetzen dies mit: ,,. . . wenn Söhne fehlen." Aus mehreren Gründen, unter anderem wegen der Vorschriften in 20:1, ist es aber klar, dass dieser Ausdruck ,,wenn männliche Nachkommen nicht vorhanden sind" bedeutet. 20:1 regelt das Verhältnis zwischen dem Erbrecht der Töchter und dem der Töchter des Sohnes:

Giftir faþir sun senn oc doyr suninn oc laifr dydir eptir sic þa schulu þaar sitia j karls scavti oc biþa luta senna. þa en karlin doyr oc gangs eptir þa schiptin arfi at hafþa tali dydir oc sunna dytrir þa en synjr karls iru flairin þa liautin suna dytrir eptir faþur senn. Samulund liauz oc eptir faþur moþur en han lifr lengr en sun[23].

Gangs eptir müsste bedeuten, dass männliche Nachkommen fehlen. Wenn es lediglich bedeuten würde, dass Söhne fehlten, so würden die Töchter des Sohnes das Erbe vor den Söhnen des Sohnes antreten, was ganz unwahrscheinlich ist[24]. Diese Vorschrift zielt folglich darauf, das Verhältnis zwischen den Töchtern und

---

[22] ,,Hers handum"=neuschw. ,,härs händer"=Kriegsgefangeschaft.
[23] *GL 20:1:* ,,Verheiratet ein Mann seinen Sohn und stirbt dann der Sohn und hinterlässt nur Töchter, so sollen diese auf dem Schoss (=Knie) des alten Mannes sitzen und auf ihr Erbe warten. Stirbt der alte Mann und fehlen männliche Erben, so teilen die Töchter und die Töchter des Sohnes das Erbe nach der Kopfzahl. Hatte der alte Mann mehrere Söhne, so treten die Töchter der Söhne das Erbe nach ihrem Vater an. In derselben Weise wird auch das Erbe angetreten, wenn der Erblasser die Mutter des Vaters ist, sofern sie länger als ihr Sohn lebt."
[24] Vgl. *Ficker,* Untersuchungen IV, 126.

den agnatischen Enkelinnen zu regeln, wenn keine männlichen Nachkommen vorhanden waren. Wenn der Grossvater nicht mehrere Söhne oder agnatische Enkel usw. hat, so treten die Töchter und agnatischen Enkelinnen das Gesamterbe gemäss den angegeben Teilungsnormen an.

In 20:1 ist deutlich die Rede vom ungeteilten Erbe. Wenn aber mehrere Söhne ihren Vater überlebt haben und daher Boden erben und einer dieser Söhne dann stirbt und nur Töchter hinterlässt, wie darf dann die Tochter erben? Bekommt sie nichts, oder darf sie mit ihren Onkeln väterlicherseits und ihren männlichen Cousins teilen? In 20:12, das oben zitiert wurde, wird nur davon gesprochen, dass die Brüder des Erblassers und ihre Söhne das Erbe antreten dürfen, ebenso in 19:38 HsA. Die Interpretation Holmbäcks ist oben referiert worden[25]. Ficker nimmt an, Töchter und agnatische Enkelinnen haben die Hälfte und die „niþiar" die andere Hälfte geerbt, weil er bessere Übereinstimmung mit dem langobardischen Recht erreichen wollte[26]. Keine dieser beiden Interpretationen kann sich auf den Text stützen.

Bis jetzt haben wir keinen Unterschied zwischen fester und beweglicher Habe gemacht. Es geht jedoch aus mehreren Bestimmungen deutlich hervor, dass das GL zwischen diesen Arten von Eigentum beim Antritt des Erbes unterscheidet. GL 20:14 bestimmt:

Far gutniscr maþr þy barn wiþr gutnjsca cunu oc gangs eptir hann oc loyfir eptir sic þy barn synj oc dytrir þa schiptin þaun feþrnjs oyrum at hafþa tali miþ aþal dytrum. En þar iru til iru ai þar til þa schiptin þaun sina milli at hafþa tali feþrnjs oyrum[27].

Der Wortlaut schliesst andere Erben aus. Die Fahrhabe kann also nur von den Kindern geerbt werden. Die unehelichen Kinder erben die ganze Fahrhabe nur dann, wenn keine ehelichen Töchter

---

[25] S. oben, 142.

[26] *Ficker,* Untersuchungen VI, 129.

[27] *GL 20:14:* „Hat ein gotländischer Mann uneheliche Kinder mit einer gotländischen Frau und sind keine männlichen Erben (meine Übers. Söhne=Holmbäck) für sein Erbe vorhanden und hinterlässt er uneheliche Kinder, Söhne und Töchter, so teilen diese die väterliche Fahrhabe nach der Kopfzahl mit den ehelichen Töchtern, wenn solche vorhanden sind. Sind solche nichtvorhanden, so teilen sie untereinander die väterliche Fahrhabe nach der Kopfzahl."

vorhanden sind. Man kann demzufolge annehmen, dass die ehelichen Töchter die gesamte Fahrhabe erben, wenn keine unehelichen Kinder vorhanden sind[28]. Dies selbstverständlich nur unter der Voraussetzung, dass keine ehelichen Söhne vorhanden sind. Wie werden nun aber Grund und Boden vererbt? Diejenigen Vorschriften, die etwas darüber aussagen, sind die vorher zitierten 19:38 und 20:12. Nach 19:38 HsA erben die „niþiar" jeweils ein Hauptlos bis hin zum vierten Mann, wenn männliche Erben eines Hofes fehlen. Entferntere Verwandte erhalten ein Achtel. Nach 20:12 sollen die Nachkommen der Brüder dem Erbe alle gleich nahe stehen. Die Bestimmung sagt folglich aus, dass nicht nach verschiedenen Verwandtschaftszweigen geteilt werden soll und ebenso dass näherer Verwandtschaftsgrad nicht den entfernteren ausschliesst[29]. Diese beiden Bestimmungen sind deutlich deswegen zustande gekommen, weil das Verhältnis der näheren Verwandten untereinander sowie das Verhältnis zwischen diesen und den entfernteren Verwandten geregelt werden musste. Wenn die Töchter hier nicht genannt werden, muss dies an und für sich nicht bedeuten, dass sie nichts erbten.

Entscheidend ist vor allem, ob man sich auf die Angabe der HsB verlassen will, dass die Erbteilung *mid Burnum* geschehen soll und welcher Personenkreis in diesem Fall gemeint ist und schliesslich, auf welche Art von Habe diese Bezeichnung abzielt, auf festes Eigentum oder Fahrhabe oder beides. Meiner Ansicht nach ist nicht nachgewiesen worden, dass die Worte „mid Burnum" einem älteren gotländischen Text angehören. Sie stellen vielmehr

---

[28] Die deutsche Übersetzung enthält dieselbe Vorschrift, GL II 22:4, jedoch eine andere Vorschrift, G II 21:5, die besagt, dass Töchter und Verwandte sowohl bewegliche als auch feste Habe teilen. Dies ist eine der vielen Widersprüchlichkeiten in diesem Landrecht. Da es als Quelle nicht zuverlässig ist, muss man sicherlich von diesen Bestimmungen Abstand nehmen. Diese können nicht, wie früher geschehen, die Interpretation von GL I stützen.

[29] Die Teilung unter den Verwandten gemäss 20:12 kann aber auf verschiedene Weise interpretiert werden. Es geht aus dem einleitenden, erzählenden Bedingungssatz „varþa synir flairin eptir mann oc aucas af allum" nicht klar hervor, ob die folgende Vorschrift sowohl die Brüder als auch ihre Nachkommen betrifft oder ausschliesslich die Nachkommen. Im letzteren Fall wäre der vorausgesetzte Sinn der, dass alle Brüder tot sind, und diese Regelung würde darauf abzielen, dass die Nachkommen nach der Kopfzahl teilen und nicht nach Anzahl der Seitenlinien des Geschlechtes. Im ersteren Fall würde die Vorschrift die Erbteilung zwischen den Brüder und den Söhnen von verstorbenen Brüdern vorsehen.

eine später hinzugefügte Erklärung dar. Mit „Burnum" können unverheiratete Töchter gemeint sein, aber ebenso „þy", Kinder[30]. Dass die Erbteilung die Fahrhabe nicht einschliesst, meine ich oben gezeigt zu haben. Hier gibt es also zwei Möglichkeiten. Entweder erhielten die unverheirateten Töchter und „þy"-Kinder ihr Hauptlos aus der Fahrhabe, die Verwandten aus den Liegenschaften, oder die Töchter erhielten gemeinsam mit den Verwandten ein Hauptlos aus den Liegenschaften. Meiner Auffassung zufolge ist es nicht möglich, in diesem Punkt absolute Gewissheit zu erlangen. Es ist möglich, dass durch die unsystematische Darstellung des Rechtes geradezu verborgen wird, ob es sich in dem einen Fall um ungeteiltes, in dem anderen aber um geteiltes Eigentum handelt.

Es steht gleichzeitig fest, dass verschiedene Auffassungen in diesen Einzelheiten nicht das Gesamtbild berühren. Die Tochter erbt in keinem Fall Grund und Boden, so lange ihre Brüder oder

---

[30] Valter Jansson glaubt Belege dafür gefunden zu haben, dass das Wort „borna", „burna" in den Runeninschriften „Tochter" bedeute. Unter den vier Beispielen, die er angibt, ist indessen nur eines, das das Wort in der angegebenen Form wiedergibt, nämlich der Beleg vom Nässtein. Der Stein von Grötlingbo hat „burn", der Lärbrostein „b/o/ra" oder „b/a/ra", und das Wort des Brosteines wird von drei anderen Forschern in anderer Weise als durch Jansson ausgelegt. Von diesem Stein nimmt Jansson an, er könne nicht vor dem Beginn des 15. Jahrhunderts angesetzt werden. Der Nässtein wird ans Ende des 15. Jahrhunderts oder Anfang des 16. Jahrhunderts datiert. Damit verglichen werden kann, dass das Wort „totir" auf den Steinen von Ardre, die in die Mitte des 11. Jahrhunderts datiert werden, sowie auf den Steinen von Sjonhem, die zwischen 1050 und 1100 angesetzt werden, belegt ist, wie auch in Runeninschriften auf Stein aus späterer Zeit. *Jansson*, Runsten, 3 ff. Gotlands runinskrifter, 39. Hinzu kommen Janssons Bedenken wegen der Bildung des Wortes „Burnum". „Das Wort *burna, borna* muss wohl seiner Bildung nach am ehesten als substantiviertes Perfektpartizip von *bera* angesehen werden mit der ursprünglichen Bedeutung „der Geborene". Vgl. isl. *kundr* „Sohn". In Grimms „Deutschem Wörterbuch" findet man unter *Geboren* z.B. *ein geborner des lands* in den Sprachproben des 16. Jahrhunderts. --- Wäre indessen *borna* eine ähnliche, Bildung, so wäre das Wort höchst bemerkenswert, da mir bekannterweise solche Bildungen bei starken Verben nicht vorkommen." Runsten 7. Jansson zieht daraus keine Schlussfolgerungen, was jedoch kaum seine Behauptung bestärken kann, dieser Randvermerk in der HsB gebe der ursprünglichen Text wieder. Gemäss den oben dargestellten Ausführungen kann nicht als wahrscheinlich nachgewiesen werden, dass das Wort in einer gotländischen Handschrift aus dem 13. oder 14. Jahrhundert gestanden habe. Es ist wahrscheinlicher, dass es durch eine Übersetzung des Landrechtes hineingekommen ist. Der Text von HsA muss also der Ausgangspunkt der Interpretation sein.

deren männliche Nachkommen am Leben sind. Unter allen Umständen ist ihr Erbrecht am Boden ausserordentlich eingeschränkt.

Den Boden der Mutterseite darf die Tochter dagegen schon dann erben, wenn sie keine Brüder hat. Die Brüder ihres Vaters und ihre männlichen Cousins haben ja kein Recht auf ihr mütterliches Erbe, und entsprechende Verwandte auf der mütterlichen Seite besitzt sie nicht, sonst hätte ihre Mutter ja niemals Boden ererbt.

Der Unterschied zwischen väterlichem und mütterlichem Erbe ist also bedingt durch das ausserordentliche Gewicht, das das Gesetz darauf legt, dass der Boden verschiedener Geschlechter getrennt gehalten werde sowie auf die damit verbundene Dominanz des Mannesstammes. Es ist eindeutig hierdurch bedingt, dass die Tochter eine bessere Stellung beim mütterlichen Erbe erlangt. Das gotländische Landrecht ist nicht altertümlicher als die Praxis in vielen deutschen Gebieten in bezug auf den Adel: dass nämlich die Töchter gegen Empfang der Mitgift in Form von Fahrhabe auf Ansprüche gegenüber dem Familienbesitz verzichteten, so lange Brüder und ihre Nachkommen lebten, ein System, das später auch in Schweden übernommen wurde.

2. Es gibt zwei Dinge, die dazu führten, dass die ältere Forschung das GL als besonders altertümlich ansah, d.h. man meinte, es befinde sich auf einer Entwicklungsstufe, die andere Gesetze längst überwunden hätten. Das eine ist das eingeschränkte Erbrecht der Frau, das andere ist das Nichtvorhandensein der Gütergemeinschaft zwischen den Ehegatten. Dass dieses Verhältnis einer älteren Stufe angehöre, wird u.a. von Olivecrona in seiner bekannten Arbeit über das Heiratsrecht ausgesprochen[31]. Olivercrona geht seinerseits zurück auf deutsche philosophische Spekulationen über ,,das wahre Wesen" der Ehe. Laut Olivecrona ist es erst die ,,christlich-germanische" Zivilisation, die die Gütergemeinschaft einführte und dies sei ein Ausdruck der christlichen Gleichheitsidee[32]. Das ,,christlich-germanische" stelle also eine spätere und sittlich höherstehende Stufe als das orientalische und römische Recht dar, das keine Gütergemeinschaft kannte. Es ist

---

[31] *Olivecrona*, Om makars giftorätt i bo.
[32] Loc cit. 11 ff., oben, 66.

der Entwicklungsgedanke Hegels, der hier wiederum in das Gebiet des Familienrechtes Eingang findet.

Die Vorstellung, die Gütergemeinschaft sei besonders für die Frau von Vorteil, muss gegen den Hintergrund einer der Zwecke der Arbeit Olivecronas gesehen werden. In dem Kapitel ,,Schlussbetrachtungen" beschreibt er die Folgen für die Gesellschaft, die dann eintreten müssten, wenn die Ehefrau rechtlich und ökonomisch unabhängig vom Mann sein würde. In der sogenannten freien Ehe des römischen Rechtes habe die Ehefrau das Recht gehabt, ihr Eigentum selbst zu verwalten. Dies habe dazu geführt, dass die Ehe auf eine einfache Weise habe aufgelöst werden können und – nach einem bekannten Gedankengang – zur Verderbtheit der Sitten und schliesslich zum Untergang Roms[33].

Olivecronas Werk über das Heiratsrecht ist ein Beitrag zur damaligen Diskussion über eine Änderung des geltenden Heiratsrechtes, um eine Verbesserung der ökonomischen Sicherung der verheirateten Frau zu erlangen. Im Einklang mit den meisten anderen Juristen sah Olivecrona in einer Schmälerung des männlichen Verfügungsrechtes über das gemeinsame Eigentum und über das Eigentum der Ehefrau eine Bedrohung der Autorität des Mannes, die nach dem klassischen Muster auch eine Bedrohung der bestehenden Gesellschaft werden konnte.

Im Zusammenhang mit der ökonomischen Stellung der Frauen muss man selbstverständlich alle diesbezüglichen Bestimmungen in Betracht ziehen und nicht nur fragen, ob Gütergemeinschaft existierte oder nicht. Im GL erhält die Ehefrau ihr Eigentum unberührt und bekommt ausser *hogsl oc iþ* eine Witwenrente in Form von Naturalrechten und Geld[34]. Für die privilegierte Gruppe von Frauen, für die das Gesetz gilt, scheint dies eine gesicherte Stellung zu beinhalten. Besondere Bedeutung erhalten die Verbote gegen alle möglichen Arten von Bodenveruntreuung: der Mann hatte dadurch keine Möglichkeit über das ererbte Eigentum der Ehefrau nach eigenem Gutdünken zu verfügen. Die gotländische Frau derjenigen Klasse, die hier in Rede steht, hatte damit viel besseren Schutz als die entsprechenden Bestimmungen etwa der SkL geben.

---

[33] Loc. cit. 498.
[34] GL 19: 38, 20: 5, 20: 8, 20: 9.

IX

Familien- und vermögensrechtliche Bestimmungen im GL, sächsisch-baltischen Recht und in der Lombarda

1. Die *Consuetudines feudorum* oder *Libri feudorum* sind eine Zusammenstellung verschiedener Kaisergesetze mit einer wissenschaftlichen Bearbeitung. Das Hauptgewicht liegt auf dem Verhältnis zwischen Lehnsherren und Vasallen, auf der Frage, wer das Recht hat, ein Lehen zu empfangen, nach der Natur des Lehens usw. Eine grosse Anzahl der Bestimmungen gilt der Sukzessionsordnung, wo die Libri feudorum im Prinzip auf der Lombarda aufbauen. Während vieler Jahrhunderte war das erstgenannte Recht die Hauptquelle des europäischen Lehnrechtes. Dazu gehörte eine grosse Anzahl Kommentare, Abhandlungen und Lehrbücher. Darüber hinaus wurde es in den italienischen, französichen und deutschen Rechtsschulen behandelt und umgearbeitet. Die erhaltenen Handschriften sind häufig mit anderen Werken zusammengestellt, die älteren mit der Lombarda, die jüngeren im allgemeinen mit Teilen des Corpus iuris civilis. Hinzu kommen Glossare, Kommentare verschiedener Art sowie kirchenrechtliche Abschnitte[1].

In den Libri feudorum wird, im Gegensatz zur Lombarda, ein Unterschied gemacht zwischen verschiedenen Arten von Eigentum, und Frauen besitzen kein Erbrecht am Lehen, dem beneficium. In das Lehnrecht, das später in Deutschland gelten sollte, wurden indessen Bestimmungen über weibliches Erbrecht für den Fall aufgenommen, dass nahe Anverwandte der Mannesseite nicht vorhanden waren. Zwischen einem derart modifizierten Lehnrecht und der Lombarda besteht eigentlich kein Gattungsunterschied. Beispiel eines derart modifizierten Lehnrechts ist das Recht, das für Estland und die deutschen Ordensländer galt sowie

---

[1] Für die äussere Geschichte der Libri feudorum, Handschriftenverhältnisse etc., *Lehman,* Einleitung, Handbuch, 166 ff.

für die Stifte Riga, Dorpat und Ösel nach der deutschen und dänischen Kolonisation.

Dieses Recht, das Waldemar-Erich'sche Lehnrecht, wurde im Jahre 1315 von Erik Menved schriftlich niedergelegt und soll angeblich in den obengenannten Ländern seit der Zeit Waldemars II. in Kraft gewesen sein[2]. Es wurde zur Vorlage für das ältere livländische Ritterrecht das vor 1321 ausgefertigt wurde mit dem Unterschied, dass der Bischof die Rolle des Königs übernimmt[3]. Die wesentlichsten Punkte, in denen diese beiden Gesetze dem GL ähneln sind folgende.

a. Das Erbe wird *mit gesamter Hand* genommen:

Sint de bröder twe edder dre ofte meer in ungedeledem gude, de hebben ere samende hant daran, unde ervet van dem einen up den andern, dewile se ungedelet sint.

Stervet de eine, de dat gut entvangen heft, de ander entvenget dat gut binnen jar und dage, alse dat geschreven steit[4].

Dieses Erbrecht gilt nur für Brüder und für die Söhne der Brüder. Die Tochter besitzt kein Erbrecht aber wohl das Recht auf Unterhalt oder Aussteuer[5]. Hat der Lehnsträger keine männlichen Erben, so fällt das Lehen an den König bzw. den Bischof[6]. Die Bestimmungen für solche *strengen Mannlehen* wurden indessen durch Gnadenrechte vervollständigt, die den Töchtern und Ehefrauen Erb- und Unterhaltsrecht gaben. Im Jahre 1231 gab daher der Bischof von Riga seinen Vasallen das Recht, die Töchter im Fall, dass keine männlichen Erben vorhanden waren, das Erbe antreten zu lassen und kinderlosen Witwen ein Nutzungsrecht am Eigentum des Mannes einzuräumen[7].

Wenn die Brüder das Erbe teilten, so hörte das gemeinschaftliche Erbrecht auf[8].

b. Die Verbote gegen Veräusserung sind streng. Die Verwandten haben das Vorkaufsrecht[9].

---

[2] W-E L, Einleitung.
[3] Über die innere und äussere Geschichte dieser Rechtsquellen, siehe Altlivlands Rechtsbücher, 1 ff.
[4] W-E L 5: 1, 2, ÄRr, 6.
[5] W-E L 6: 4, 20, ÄRr 7: 4, 15.
[6] W-EL 12: 2, ÄRr 11: 2.
[7] Urkundenbuch, CXI, *Bunge,* Privatrecht II, 270 n.b.
[8] W-E L 6: 1, ÄRr 7: 1.
[9] W-E L 8, ÄRr 10.

c. Gütergemeinschaft existiert nicht. Dagegen hat die Frau das Recht auf Unterhalt oder Morgengabe[10].

d. Die Übereinstimmungen erstrecken sich auch auf die Regelungen für Totschlag und Sühnegeld. Dieses gehörte zum Erbrecht durch die Verpflichtung, die sie den Erben auferlegten.

ÄRr 55:2

Umme dotschlach unde wunden, de ungebetert sint, de ervet de vader up den sone unde de broder up den broder, de gescheen sint, dewile se ungescheiden weren.

GL 14

En um lutnar sakir eptir faþur eþa broþur eþa niþia. þa aigu allir wiþr at sia þar til et þair orca vereldi biauþa[11].

In beiden Fällen sind also Vater, Bruder und Sohn gemeinsam verantwortlich für Zahlung des Sühnegeldes bei Totschlag. Im Ritterrecht wird explizit ausgesagt, dass dies solange gilt wie sie in Gütergemeinschaft leben.

Gemäss GL 13 sollen dieselben Anverwandten mit dem Totschläger in die Kirche fliehen und dort 40 Tage und Nächte bleiben und dann einen Friedenskreis ziehen, während man über das Wergeld verhandelt. Nachdem dieser Friedenskreis ein Jahr lang bestanden hat, ist er unverbrüchlich. Wenn der Totschläger kein Wergeld zahlen will, so wird er als friedlos verurteilt. Im baltischen Recht besteht noch das Fehderecht.

ÄRr 56

§ 1. Sleit ein stichtesman den andern dot, he schal wiken jar unde dach ut dem stichte. § 2. Wenn jar unde dach ummekomen sint, unde wil he wedder in, so geve he dem bischop xiij fl. unde iiij ore, unde legge denn de sake af, oft he mach; mach de nicht, so drege he ere weide.

Die Frist, die der Totschläger hat, ist aber in beiden Fällen dieselbe: Jahr und Tag, womit ein Jahr und sechs Wochen gemeint sind[12]. Die Gesetze verwenden auch gleichartige Wendungen:

---

[10] W-E L 22, 25, ÄRr 17: 1, 19.

[11] „Aber in Rechtsstreitigkeiten, die vom Vater, Bruder oder anderen Verwandten geerbt sind, sollen alle einen Ausgleich suchen bis dass sie Wergeld zu bieten imstande sind."

[12] Nach dem GL hatte der Totschläger das Recht, ausserdem noch zweimal Busse anzubieten mit jeweils einem Jahr Zwischenraum.

ÄRr 56: legge den de sake af, oft he mach.

GL 13:5: Biauþi bot manni en hann orkar.

Diese Quarantänebestimmungen finden sich nicht im W-E L. In diesem Punkt zeigt also das GL grössere Übereinstimmungen mit dem ÄRr.

Wieviel von dem baltischen Recht bewahrt wurde, das ungefähr 100 Jahre vor dem jenigen in Kraft war, das uns überliefert ist, ist nicht festzustellen. Dass das Lehnrecht im Rigaer Stift während der 1. Hälfte des 13. Jahrhunderts gültig war, scheint doch klar aus der obengenannten Urkunde über das weibliche Erbrecht hervorzugehen. Weitere Rechte für dieses Gebiet waren *Der Spiegel Land- und Lehnrecht für Livland* und *Die Artikel vom Lehngut und Lehnrecht*. Ersteres ist ein Auszug aus dem Sachsenspiegel, wahrscheinlich aus dem 14. Jahrhundert, letzteres baut auf langobardischem Lehnrecht und findet sich im Anschluss an eine Reihe Handschriften des W-E L. Die jetzt bekannten Versionen sind aus dem Jahrzehnt nach 1340 und 1440[13].

Bunge hat Ähnlichkeiten zwischen dem baltischen und dem sächsischen Recht nachgewiesen. Diesem Wissenschaftler zufolge war das W-E L ein deutsches Recht für die Vasallen Waldemars II. in Estland. Diese Vasallen waren Deutsche[14].

Wie sich ähnliche Bestimmungen in der Lombarda, im GL sowie im baltischen und sächsischen Recht wiederfinden, soll durch folgendes Beispiel illustriert werden, welches gleichzeitig was das GL und das Langobardenrecht betrifft einen der Belegen ausmacht, den Ficker für seine Theorie eines gemeinsamen Urrechts für Goten und Langobarden anführt.

Gri 5

De successione nepotum, qui post mortem patris in sinu avi remanserit. Si quis habuerit filios legitimos unum aut plures, et contigerit unum ex filiis vivente patre mori et reliquerit filios legitimos unum aut plures et contigerit avo mori: talem partem percipiat de substantia avi sui, una cum patruis suis, qualem pater eorum inter fratribus suis percepturus erat, si vivus fuisset. Similiter et si filias legitimas unam aut plures, aut filii natura-

---

[13] Über die äussere Geschichte dieser Rechtsquellen, siehe Altlivlands Rechtsbücher, 1 ff.
[14] Über das Verhältnis zwischen dem Ssp und dem baltischen Lehnrecht, siehe Altlivlands Rechtsbücher, 14 ff.

les unum aut plures fuerint, habeant legem suam, sicut in hoc edictum legitur.

SSp Landrecht I:5:1

Nymt die sone wîph bî des vater lîbe, diu eme evenbordich ist, unde winnet her sone bî ir, unde sterbet her dar nâ her sînen vater umbedêlet von deme erve, sîne kindere nement teil in irs eldervater erve glîche iren vedderen in irs vater stad. Alle nemet sie aver eynes mannes teil. Disses ne mach den dochter kinderen nicht geschên, daz sie lîkin teil nemen der tochter in des eldervater oder in der eldermûter erve.

Livl Spiegel I:2

Nimt de söne ein wif bi des vaders levent, unde gewinnet se eme kinder, unde stervet de söne darna ungedelet eer denn de vader, de kinder nemen dele in eres oltvaders erve, gelik eren veddern, an eres vaders stat.

GL 20:1

Giftir faþir sun senn oc doyr suninn oc laifr dydir eptir sic þa schulu þaar sitia j karls scavti oc biþa luta senna. þa en karlin doyr oc gangs eptir þa schiptin arfi at hafþa tali dydir oc sunna dytrir. þa en synjr karls iru flairin þa liautin suna dytrir eptir faþur senn. Samulund liauz oc eptir faþur moþur en han lifr lengr en sun[15].

Es handelt sich in allen Fällen um das Eintrittsrecht für die Sohneskinder, die nicht an der Verteilung des grossväterlichen Eigentums beteiligt sind[16]. Das GL ist das einzige, das diesen Fall einzig vom Standpunkt der Sohnestöchter aufnimmt und deren Recht zusammenstellt mit dem der Töchter.

Das GL stimmt dagegen überein mit dem Ssp in der Erwähnung, dass dieselbe Erbregelung auch für die Hinterlassenschaft der Grossmutter gilt, falls sie ihre Söhne überlebt.

Auch in der Frage der Regelung des Erbrechtes für uneheliche Kinder zeigt das GL sowohl mit der Lombarda als auch mit dem Lehnrecht Übereinstimmungen.

Ebenbürtigkeit ist das wichtigste Erfordernis des Erbrechts. Dieses Erfordernis findet sich in irgendeiner Form in allen Rechten. Das ältere Langobardenrecht macht nur den Unterschied zwischen frei und unfrei, die übrigen verlangen eine strengere

---

[15] Zur Übersetzung s. oben 146, Anm. 23.
[16] Das VStL IV:III:7 hat das Eintrittsrecht für Enkelkinder ohne Angabe des Geschlechts.

Qualifikation. Ed. Rothari lässt einen *filius naturalis* zusammen mit einem *filius legitimus* erben, jedoch nur mit halbem Los diesem gegenüber[17]. Legitimität im kirchlichen Sinne findet sich explizit als Erfordernis für das Erbrecht in der Lombarda und im Lehnrecht, mit Ausnahme des W-E L, das hierüber keine explizite Bestimmung enthält.

Ssp Lehnrecht 2:1
unde alle die rechtes darvet oder unecht geboren sint, unde alle die nicht ne sin von ridderis art von vater unde von eldervater, die sollen lenrechtes darven.

GL 20:14
Engin þysun far sic gyt til luta vtan þi at ains et hann hafi aþal gutnjsct beþi faþur oc moþur oc vitri þegar miþ scri j etar manna scra þar til et þriar iru eptir sic allar gutniscar þa liautr sun þairi þriggiu lutu meþ njþium[18, 19].

Aþal dürfte eine Form von qualifiziertem sozialen Status bezeichnen, die Bestimmungen über den Beweis deuten darauf hin[20]. Ein ,,þysun" im GL musste also eine solchen für drei Generationen nachweisen um mit den Verwandten Grund erben zu können – dass es sich um Grund und Boden handelt, geht aus dem folgenden hervor, wo das Erbe der Fahrhabe geregelt wird.

Bei dieser Interpretation bin ich davon ausgegangen, dass der ,,þysun" des GL derselbe ist wie derjenige des älteren langobardischen Rechts. Aber die Bestimmung des GL ist nicht völlig klar. Es ist möglich, dass ein ähnlicher Fall gemeint ist, der sich in einem der Kapitulare wiederfindet, nämlich

---

[17] Ro 154.

[18] ,,Kein unehelicher Sohn kann erbberechtigt werden, ausser in dem Fall, dass sowohl sein Vater als auch seine Mutter Gotländer sind und er beweisen kann mit geschriebenen Ahnentafeln, dass drei seiner Vorfahren nacheinander Gotländer waren. Dann nimmt der Sohn ein Drittel von dem Erbe mit den Verwandten."

[19] Schlyter übersetzt ,,þairi þriggiu lutu" mit ,,Dritteil", Corpus VII, 51 Anm. 60, und erzielt damit Übereinstimmung mit dem Quotenteil des Langobardenrechts. *Holmbäck–Wessén* IV, 269, Anm. 45 ziehen dagegen die Worte ,,sun þairi þriggiu" zusammen und übersetzen ,,der Sohn zu der dritten", d.h. Generation. Der Quotenteil wird dadurch nicht angegeben.

[20] Schlyter übersetzt ,,aþal" mit ,,eingeboren", Corpus VII, 51. Holmbäck–Wessén haben ,,verheiratet" ohne Angabe der näheren Bedeutung.

Homo denarialis non antea hereditare in sua agnatione potuerit, quamusque in tertiam generationem perveniat. Et homo cartularius similiter.

Die Glosse zu *denarialis sagt:*

scilicet quae libertas in Francia utitur. Id est libertus non potest filio suo vel abiatico succedere, sed abiatici filio succedere potest. Sed omnes descendentes possunt illi liberto patri suo vel avo suo succedere.

Das Landrecht des Frostatings X:47 scheint mit obenstehendem übereinzustimmen[21]. Wenn dies auch im GL gemeint sein sollte, so hat dieses Landrecht in jedem Fall eine stärkere Qualifikation.

Im letzteren Fall handelt es sich also nicht um einen illegitimen d.i. nicht ebenbürtigen Sohn sondern um den Abkömmling eines solchen, der wiederum als Verwandter angesehen wird. Dieser Alternative zufolge würde das GL keinen illegitimen Sohn das Erbe von Grund und Boden antreten lassen sondern lediglich das Erbe von Fahrhabe.

Die Übereinstimmung zwischen dem GL und der Lombarda ist in diesem Punkt also zweideutig. Mit dem Lehnrecht stimmt die starke Forderung nach Ebenbürtigkeit für das Antreten des Erbes von Grund und Boden.

2. Einige Bestimmungen des GL sind von speziellerem Charakter und soweit ich finden konnte, existieren Entsprechungen lediglich in den baltischen Rechten. Dies betrifft Regelungen über die Auslösung aus der Gefangenschaft. Das W-E L fasst sich ebenso kurz wie das ÄRr. Es legt zunächst die Pflicht fest, das empfangene Lehen gegen das Heidentum zu verteidigen und auf eigene Kosten gegen die Heiden in den Kampf zu ziehen. *,,Werden se gevangen, so lösen se sik sulven"*[22]. Das GL kennt detailliertere Bestimmungen bezüglich der Auslösung Gefangener. Ein volljähriger

---

[21] FrL X: 47 bestimmt über den freigegebenen ,,þyborinn", Sohn eines ,,arborinn" Vater und dessen ,,ambut"; wenn sich dieser Sohn mit einer ,,arborinn" Frau nach Gesetz und Recht verheiratet, so sind die Kinder aus dieser Ehe wieder Mitglieder des Geschlechts und erhalten ihr Recht nach dem Grossvater. (,,þyborinn"=unfrei geboren, ,,arborinn"=wohlgeboren, ,,ambut"=unfreie Dienerin).
[22] W-E L 3: 1–3.

(freier) Mann, der über den Besitz ererbten Bodens verfügt, muss die Sache in eigener Regie regeln; die Verwandten aber haben das Recht eingelöst zu werden. Besitzen Brüder gemeinsame Güter, so lösen sie sich gegenseitig aus[23].

Die Regelungen für den Unterhalt der Witwe sind ins Lehnrecht aufgenommen und dort weiterentwickelt worden. Die Lombarda macht hier ebenso wie in der Frage des Erbes keinen ausdrücklichen Unterschied zwischen Liegenschaften und Fahrhabe, dies im Unterschied zum Lehnrecht. Einen wichtigen Teil des Unterhalts bildete die Morgengabe, welche der Ritter nach dem Ssp der Ehefrau überreichen musste. Über die Morgengabe finden sich auch Bestimmungen im baltischen Recht, wogegen es höchst unklar ist, ob das GL Bestimmungen hierüber kennt. Ich werde mich daher darauf beschränken, Vergleiche anzustellen zwischen den verschiedenen Regeln für das Nutzungsrecht für die gesamten Güter des Ehemannes.

In einem Fall enthält das GL eine ins einzelne gehende Entsprechung mit dem dänischen Recht.

GL 20:8

sitir han lengr enkia j garþi meþ synum sinum gangs eptir syni hennar fyr þan atta ar iru ut gangin þa taki marc penninga um huert ar miþan synjr lifþu. En giptis han fran barnum sinum lifandum þa hafi hogsl oc iþ oc ai maira[24].

gangs eptir synir hennar ist offenbar eine Entstellung. Der Sinn dürfte der sein, dass für den Fall des Todes der Söhne vor dem Ablauf von acht Jahren die Witwe ein Recht auf einen jährlichen Pflegesatz von einer Mark hatte, solange die Söhne lebten. Dies ist eine umständlichere Art denselben Sachverhalt wie im SkL 58 auszudrücken, nämlich dass die Ehefrau das Recht und die Pflicht habe, die Söhne solange zu pflegen, bis sie sieben Jahre alt wurden und dass sie dafür $\frac{1}{2}$ Mark jährlich als Pflegesatz erhalten sollte.

GL 20:9 festlegt, dass die kinderlose Witwe auf dem Hof unter-

---

[23] GL 28:6.

[24] ,,Wohnt sie als Witwe weiterhin auf dem Hof mit ihren Söhnen und sterben ihre Söhne ohne Nachkommen zu hinterlassen, bevor acht Jahre vergangen sind, so nimmt sie eine Mark in Geld für jedes Jahr, das die Söhne lebten. Verheiratet sie sich aber weg von ihren Kindern, während diese leben, so soll sie ,,hogsl oc iþ" erhalten und nicht mehr."

halten werden muss, in den sie eingeheiratet hatte. Mochte sie dies nicht, so erhält sie stattdessen ½ Mark jährlich während eines Zeitraumes von 16 Jahren. Das W-E L legt in ähnlicher Weise fest, dass einer kinderlosen Frau bis zu ihrem Tode das Nutzungsrecht an den Gütern des Mannes zustehe. Entsprechendes Recht findet sich in Ssp. Nach der Lombarda hat der Mann das Recht der Ehefrau Leibzucht zu geben. Dieses Recht is eingeschränkt und richtet sich nach der Anzahl der Erben[25].

Das GL hat eine weitere Bestimmung über den Unterhalt der Witwe, die keine Söhne hat, nämlich 20:5, wo festgelegt wird, dass sie eine bestimmte Menge Rogge und Gerste im Jahr erhalten solle. Es ist nicht klar, ob dies eine Ausweitung von 20:9 ist, oder ob es sich um den Unterhalt während nur eines Jahres handelt. Im letzteren Fall stimmt diese Gesetzesstelle mit dem W-E L überein, das festlegt, dass eine kinderlose Witwe während Jahr und Tag zurückbleiben soll, um die Schulden des Mannes zu bezahlen[26]. Jahr und Tag war der Zeitraum, innerhalb dessen der Anspruch auf ein ans Reich heimgefallenes Lehen beim Kaiser geltend gemacht werden musste.

Klarer ausgedrückt finden sich die Regelungen über das Nutzungsrecht der Witwe in einer Verordnung, die in der Mitte des 13. Jahrhunderts vom Bischof Nikolaus von Riga über die Lehnsfolge in seinem Bistum erlassen wurde. Dort wird für den Fall des Fehlens männlicher Erben festgelegt, dass die Witwe zu ihren Lebzeiten das Nutzungsrecht am Lehen (beneficium) des Mannes besass. Hatte sie aber minderjährige Söhne, so erhielt sie dieses Nutzungsrecht nur so lange, wie sie mit diesen zusammenlebte[27].

Die Regelungen des GL über den Unterhalt der Witwe sind eines der vielen Beispiele, die für die fehlende Systematik in der Redaktion dieses Rechtes angeführt werden können. Dieser Sachverhalt lässt es wahrscheinlich erscheinen, dass das GL eine Kompilation mehrerer Quellen ist. Ein weiterer Beleg dafür ist die Übereinstimmung zwischen dem GL und dem Stadtrecht von Riga, auf die Yrwing hinwies und die an das Familienrecht anknüpft.

---

[25] W-E L 12, Ssp I 21: 1–2. Aist. 5 und Expositio.
[26] W-E L 23.
[27] Urkundenbuch CXV.

Der Vergleich betraf das Kap. 21 des GL und das Kap. 36 des Rigaer Stadtrechts, die die Strafbestimmungen für Beischlaf mit verheirateten Frauen enthalten[28]. Yrwing nimmt an, das Rigaer Stadtrecht habe gotländisches Recht rezipiert — Voraussetzung dafür ist aber eine frühere Datierung des GL. Gleichzeitig weist er auf die Eigentümlichkeit des GL hin, dass hier der betreffende Paragraph nicht zwischen gotländischer und nicht-gotländischer Frau unterscheidet und dass die Strafe nicht nach dem gotländischen Wergeld berechnet, sondern einfach auf 40 Mark festgesetzt wird. Auch im Stadtrecht von Riga und im Vertrag von Smolenz wird bestimmt, dass die Busse 40 Mark zu betragen habe[29]. Dies ist indessen ein Argument gegen die Schlussfolgerung, dass die Bestimmung gotländischen Ursprungs sei und für eine Annahme dass es sich hierbei um baltisches Recht handele.

Schliesslich möchte ich zwei Übereinstimmungen mit dem dänischen Recht anführen, dessen Anwendungsbereich ausserhalb des bis jetzt behandelten Raumes liegt. Einerseits betrifft dies die ganz genaue Übereinstimmung der Friedenszeiten im GL und SkKk[30], andererseits die Tatsache, dass das GL offenbar eine Bewertung von Grund und Boden in Gold voraussetzte, was während der Regierung Waldemars II. vor allem in Schonen grosse Bedeutung erlangte[31].

In diesem Zusammenhang möchte ich auch erwähnen, dass sich in den hier nicht näher untersuchten Teilen des GL vieles über Verwaltung und Werteinschätzung des Bodens findet, das an das ÖgL erinnert.

Zusammenfassung der Kapitel VIII und IX

Das Familienrecht des GL ist feudalrechtlich und ähnelt dem Familienrecht des baltischen Rechts und des Sachsenspiegels, der ebenfalls weitgehende Übereinstimmung mit der Lombarda zeigt. Gleichzeitig fehlt im GL jegliche Bestimmung über das Verhältnis

---

[28] *Yrwing, Gotland,* 208.
[29] Loc. cit. 209.
[30] SkKk 14, GL 8. Dies ist vom Übersetzer, Ebbe Kock, aufgezeigt worden.
[31] Über den Wert des Goldes siehe unter 'guldvärdering' im KLNM.

zwischen Lehnsherrn und Vasall, wie sie die beiden erstgenannten Rechtsquellen enthalten.

In bezug auf andere untersuchte Rechtsgebiete existieren detaillierte Entsprechungen, ausser bezüglich den ebengenannten Rechten auch mit dänischem Recht.

Zusammen mit den gefundenen Übereinstimmungen mit der Lombarda hinsichtlich der Fälle von Körperverletzung zeigt all dies ein deutliches Vorherrschen der Einflüsse des gelehrten Rechts sowie des deutschbaltischen und dänischen Rechts. Weder das VStL noch das GL geben auf diesen Gebieten altes nordisches Recht wieder. Das GL besteht wahrscheinlich aus einer Kompilation verschiedener Quellen und es ist sehr möglich, dass es zumindest teilweise aus dem Deutschen übersetzt ist. Noch ein sprachlicher Beleg für das letztgenannte soll im folgenden Kapitel vorgelegt werden, das das Verhältnis des GL zum VStL näher behandelt.

X
GL und VStL
Neudatierung des GL

1. Die Regelungen des GL über den Totschlag wurden oben besprochen[1]. Das VStL bestimmt, dass der auf frischer Tat ertappte Totschläger sein Leben verwirkt hat, wenn es nicht zum Vergleich zwischen ihm und den Anverwandten des Erschlagenen kommt. Entkommt er, so darf er seine Zuflucht nicht in einer der Kirchen der Stadt suchen und die Verhandlungen von dort aus führen, sondern dies muss von einem Ort ausserhalb der Stadt aus geschehen. Von dort aus darf er um den Frieden der Stadt bitten, welcher ihm doch nicht vor Ablauf von vierzig Tagen und Nächten zugestanden werden darf. Dann muss er die Busse in Bargeld überreichen. Der Kläger hat ein Jahr lang Zeit diese Busse entgegenzunehmen. Tut er dies nicht, so wird der Totschläger vom allgemeinen Waffenverbot in der Stadt befreit[2].

Hasselberg hat besonders die übereinstimmende 40-Tage-Frist hervorgehoben wie auch die in beiden Rechten vorhandene Bestimmung, dass der Kläger die Busse ohne Scham entgegennehmen dürfe. Er sieht einen ,,ideellen Zusammenhang" zwischen GL und VStL und auch in bezug auf das Festlandrecht, da durch den Einfluss des Christentums das Recht, die Rache in die eigenen Hände zu nehmen, eingeschränkt worden sei[3].

Aber die Frist von 40 Tagen und die Bestimmung, dass der Kläger ohne Scham die Busse entgegennehmen könne, sind zu allgemeine Vergleichspunkte, als dass dies in diesem Zusammenhang etwas beweisen könnte. Vierzig Tage, alternativ sechs Wochen, sind ebenso wie ,,Jahr und Tag" ganz gewöhnliche Fristen des Feudalrechts, wie oben gezeigt ist. Die Vorstellung von einem ideellen Zusammenhang geht aus von dem Glauben an die allgemein den Frieden fördernde und humanitäre Tätigkeit der Kirche,

---

[1] Oben, 154f.
[2] VStL I: 36: 2.
[3] *Hasselberg*, 277.

163

eine der traditionellen Rechtsgeschichte spezifische Erklärung von Reformen.

Die bedeutsame Übereinstimmung liegt stattdessen darin, dass die beiden Rechte dieselbe Form des Vergleichsverfahrens voraussetzen. Aus den Bestimmungen des VStL geht deutlich hervor, dass sie vor allem der Aufrechterhaltung des Stadtfriedens dienen sollen und damit den Interessen des Handels. Daher bestimmt das Recht, dass bei Totschlag die beiden Parteien sich zunächst ausserhalb der Stadt auseinanderzusetzen hätten. Der Totschläger, war damit praktisch friedlos. Das Recht setzte aber wahrscheinlich die Möglichkeit voraus, dass die Frist von vierzig Tagen und Nächten in einer der Kirchen auf dem Lande zugebracht werden konnte, die das GL mit besonderem Frieden ausgerüstet hatte. Dies liegt nahe, zumal das Gesetz ausdrücklich verbietet *in de kerken binnen der stad vnde stadens marke* zu verhandeln. Das GL verbietet auch, einen Marktflecken mit Friedenskreis zu versehen[4].

Öffentliche Bussgelder, die als Strafe für qualifizierte Verbrechen gezahlt werden, nimmt nach dem VStL die Stadt entgegen, nach dem GL „alle Männer", worunter man sich eine herrschende Schicht von Grundbesitzern vorzustellen hat. In der Stadt und auf dem Land existierte ein gemeinsames Interesse, das Privateigentum zu schützen und dieses gemeinsame Interesse schlug sich nieder in den Quarantänebestimmungen beider Rechte, die sich so ausgezeichnet ergänzen, dass sie aufeinander abgestimmt sein müssen. Dabei ist es selbstverständlich, dass hier an das kirchliche Asylrecht angeknüpft wird, einerseits schon deswegen, weil die feudale Herrschaftsstruktur im allgemeinen nicht ohne die Kirche vorstellbar ist, andererseits weil insbesondere diese Einheit auf Gotland besonders fest war ebenso wie im Baltikum während der gesamten Ordenszeit.

Stadt und Land haben also auf Gotland in ihrer Gesetzgebung dieselbe Organisation des Asylrechts, auch was dessen Platz innerhalb des Vergleichsverfahrens betrifft. Die Stadt dagegen hat selbstverständlich keinen Raum gehabt für Friedenskreise und auch keinen Bedarf, da ihr Sonderfriede und das allgemeine Waffenverbot einen höheren Schutz darstellten.

---

[4] GL 13: pr.

Die Wahrscheinlichkeit des Gesagten wird durch eine weitere Entsprechung im Strafprozess verstärkt, nämlich dass in beiden Rechten Ratsherren als offizielle Zeugen fungierten[5]. Diesen kommt ausserdem in beiden Rechten die Funktion von Taxatoren zu[6]. Die Ratsherren des GL sind auch Bezirksrichter (hundaresdomare)[7].

Auf einige andere Entsprechungen zwischen dem GL und dem VStL wurde von früheren Forschern hingewiesen. Dies betrifft Verbrechen, die an Frauen begangen wurden sowie Verschwendung und Überfluss bei Hochzeiten[8]. Es handelt sich hierbei eher um allgemeine Linien als um Übereinstimmungen im Detail. Die Anordnungen über den Überfluss finden sich auch im Rigafragment und Yrwing nimmt an, die Verordnungen und übrigen Bestimmungen über die Ehe seien im VStL in Unterscheidung zu denen des GL ausgeformt worden[9]. Der Grund sei, dass die erstgenannten eine höhere Anzahl Einschränkungen enthielten. Dieser Gedankengang ist meiner Meinung nach aus mehreren Gründen nicht haltbar, u.a. beruht er auf einer Annahme e silentio, was gemäss dem GL Gültigkeit gehabt haben soll.

Dagegen liegen auf anderen Gebieten klar und deutlich Gegensätzlichkeiten zwischen dem GL und dem VStL vor. Darauf werde ich im folgenden Kapitel eingehen. Diese Unterschiede erhalten ihre Bedeutung durch die Tatsache, dass es zwischen diesen Rechten wesentliche Entsprechungen gibt. Die Unterschiede lassen damit die Tendenz des GL deutlich hervortreten. Bevor ich darauf eingehe, möchte ich einen weiteren Beleg für den Zusammenhang von GL und VStL anführen. Dieser gehört zu den terminologischen Entsprechungen, die von früheren Forschern nachgewiesen wurden[10]. Der Ausdruck des GL, auf den ich mich beziehe, lautet ,,sciauþu oc scalum"[11]. Die Bestimmung beinhaltet, dass im Falle des Todes des Vaters die erwachsenen Söhne nicht von den minderjährigen geschieden werden bevor der jüngste fünf-

[5] GL 19: 1, Add 5: 3, VStL I: XII: pr.
[6] GL 32, VStL III: I: 9.
[7] GL 31. Vgl. *Amira*, Obligationenrecht I, 21.
[8] *Björkander*, 54, *Schlüter*, 502 ff., 552.
[9] *Yrwing*, 353.
[10] Oben, 89 mit Anm. 4, 5.
[11] GL 20: pr.

zehn Jahre alt geworden ist, *siþan taki hann viþr sciauþu oc scalum* (daran anschliessend nimmt er „sciauþu oc scalum" entgegen). Das GL II sagt stattdessen: *Dar na so untfa her syn teil*[12]. Man nahm an, dies sei der Sinn des Satzes gewesen.

Dagegen war man uneinig in bezug auf die sprachliche Interpretation. Schlyter meinte *sciauþu* war falsch anstelle von richtig *sciautum* aus altschwedisch *skiut*, was 'Zugtier' bedeutet. Die Entgegennahme von „Zugtieren und Schalen" würde demnach symbolisieren, dass der Jüngling seinen Teil des Eigentums erhielt. Eine andere Interpretation führt das *sciauþu* auf das isländische und altnorwegische *skioda* zurück, das soviel wie „Lederbeutel", „Börse" bedeutet. *Scalum* würde mit dieser Interpretation „Waagschalen" bezeichnen und *sciauþu* den Lederbeutel, worin die Gewichte aufbewahrt wurden. Die Entgegennahme dieser Gegenstände hätten die Volljährigkeit des Jünglings symbolisiert[13].

Das VStL rechnete indessen in seinen Regelungen der Geschenke für die Verlobten u.a. *scalu* und *bydele* auf, letzteres gleichbedeutend mit dem hochdeutschen „Beutel"[14]. Nimmt man an, dass *sciauþu oc scalu* diese Geschenke bezeichnen, so kommt man zu einer viel natürlicheren Symbolik der Volljährigkeit des Mannes, nämlich dass er sich selbst verheiraten darf. Der Ausdruck ist in diesem Fall eine Übersetzung aus dem Deutschen und die sprachliche Zusammenstellung *sciauþu* − *skioda* wird bestärkt.

Hieraus können mehrere Schlussfolgerungen gezogen werden, ausser denen, die das Verhältnis VStL–GL betreffen. Es ist oben wahrscheinlich gemacht, dass wenigstens einige Partien des GL Übersetzungen sind, u.a. aus dem Deutschen. Der Übersetzer wendet hier westnordische Worte an. Dies kann mit der von Schlyter vorgenommenen Beobachtung verglichen werden, dass nämlich ein norwegischer Einschlag im GL hervortrete[15]. Dies zeigt auch, wie sich die Handschriften zueinander verhalten und warum man nicht, wie vorgekommen, ohne weiteres von den Übersetzungen auf die gotländischen Versionen schliessen darf. Wie der Originaltext aussah, wissen wir nicht, aber der Übersetzer

---

[12] GL II 21.
[13] *Holmbäck–Wessén* IV, 265 f.
[14] VStL IV: I: 9.
[15] *Schlyter,* Corpus VII, VI f., oben, 94.

des GL II kann ganz einfach geraten haben, was für ihn unbegreiflich war, was also *sciauþu oc scalum* bedeuten mochten und hat dann frei übersetzt.

2. In Anbetracht der Zeugnisse früherer Urkunden, nach denen die Herrschenden in der Stadt und auf dem Lande in Fragen des Handels nach aussen hin als eine Einheit aufgetreten seien, können die Übereinstimmungen zwischen GL und VStL nicht verwundern, und machen in mehreren wesentlichen Fragen eine gemeinsame Organisation wahrscheinlich. Was stattdessen auffällt, sind die markanten Unterschiede zwischen beiden Rechten hinsichtlich anderer wichtiger Rechtsgebiete. Eine der besonders charakteristischen Eigenheiten des GL ist die soziale Grenze zwischen gotländischen und nicht-gotländischen Personen, die mit nur dem halben Wergeld für die letztere Gruppe hervorgehoben wird. Eine solche Schichtung widerspricht allen früheren Übereinkünften über gleiches Wergeld sowohl für die eigenen als auch für die durchreisenden Kaufleute. Dies ist eines der Charakteristika, die Redaktion des GL in die Zeit nach der Scheidung von Stadt und Land verlegen, in einen Zeitraum also, zu dem das Land seine Rolle für die Seefahrt bereits ausgespielt hatte. Im GL fehlt auch jegliche Bestimmung über diese Art des Handels.

Es ist nicht klar, welche Bedeutung das Wort ,,gotländisch'' exakt im GL hat. ,,aþal gutnisct'' scheint ganz eindeutig eine soziale Einstufung zu sein, nach den Bedingungen, die für das Erbrecht eines ,,þy''- Sohnes galten, dass die Vorväter in der *etar manna scra* aufgeführt sein sollten[16]. Die Ausdrucksweise ist nicht konsequent aber in vielen Fällen dürfte das Wort ,,gutniskt'' wohl diese Qualifikation bezeichnen. Aus den Bestimmungen über die Nachkommen von Priestern geht beispielsweise hervor, dass diese zu den gotländischen Geschlechtern gezählt werden sollen, ausser für den Fall, dass ,,er sich mit einer Person von niedriger Geburt verheiratet, dann soll sein Recht das Recht eines Bauern sein''[17]. Eine Voraussetzung für den Eideshelfer war, dass er demselben Stand wie der Angeklagte angehören musste[18]. Aus

---

[16] GL 20: 14 und oben, 157 f.
[17] GL Add 1.
[18] GL 14: 6, 20: 15.

den Regelungen für den Verkauf von Grund und Boden ergibt sich, dass zwei Arten von Grundeigentum existierten, Grundeigentum der Sippe und anderes[19]. Das GL rechnet auch mit einer Ehrenbusse, selbst wenn nicht eindeutig ist, welche Gruppe ein Recht auf solche Busse hat[20]. Das GL setzt offenbar eine grundbesitzende Aristokratie voraus, und man muss annehmen, dass es diese ist, die mit ,,gotländisches Volk" bezeichnet wird.

Ein weiterer markanter Unterschied zwischen dem GL und VStL betrifft das Veräusserungsrecht von Grund und Boden. Das VStL legt fest, ein Mann habe das Recht sowohl Land als auch Fahrhabe testamentarisch in jeder beliebigen Menge und an jede beliebige Person zu vermachen unter der einzigen Bedingung *dat id matlik si sinen echtenkinderen*[21]. Die Verwandten *de binnen godlande sin* haben ein achtwöchiges Vorkaufsrecht beim Verkauf von Liegenschaften, danach kann der Eigentümer an jede beliebige Person verkaufen[22]. Die einzige Ausnahme ist das Verbot des Verkaufs von Liegenschaften an Mönche. Desgleichen wurde verboten, Grund und Boden als Seelengabe Kirchen und Klöstern gegenüber steuerpflichtig zu machen[23].
Im Gegensatz zum VStL kennt das GL nur die testamentarische Verfügung zum Vorteil von Kirchen und Klöstern. Diese Verfügung ist hier auf $\frac{1}{10}$ des Gesamtbesitzes an Boden beschränkt, falls die Verwandten nicht mehr bewilligen[24]. Begab sich der Spender ins Kloster, so galten doch andere Bestimmungen[25]. Die Regelungen für den Verkauf von Grund und Boden sind ausserordentlich streng. Das GL kennt nicht nur das für das Lehnrecht gewöhnliche Verbot des Verkaufs von dem Geschlecht gemeinsam gehörenden Grund und Boden ohne Zustimmung der Anverwandten, solches Land darf überhaupt nicht ausserhalb des Geschlechtes verkauft werden[26]. Als Strafe droht der Verlust des

---

[19] GL 28: 3, 28: 4.
[20] GL 19: 28, 19: 36.
[21] VStL IV: II: 2.
[22] VStL III: I: 4.
[23] VStL III: I: 1–2.
[24] GL 7: 2.
[25] GL 7: 1.
[26] GL 28: 3.

gotländischen Wergeldes und letztlich die Todesstrafe bei ungesetzlichem Landverkauf[27].

Diese Regelungen für die Entäusserung von Land stehen in engem Zusammenhang mit den erbrechtlichen Bestimmungen. Das VStL trägt zwar lehnsrechtliche Züge, die deutlich an den Ssp erinnern, so beispielsweise der Unterschied, der zwischen den Waffen des Mannes oder den persönlichen Habseligkeiten der Frau und dem übrigen Erbe gemacht wird[28]. Laut Ssp hinterlässt jeder Mann von ritterlicher Herkunft zwei Arten von Erbe: seine Waffen, die der nächste Anverwandte auf der Mannesseite (=Schwertseite) erhält und das übrige Erbe, das der nächste standesgleiche Verwandte erhält. In derselben Weise geht das Gerade der Frau an den nächsten Anverwandten in der weiblichen Linie (=Spindelseite)[29]. Mit dem Ssp stimmt weiterhin überein, dass Kinder die in Gütergemeinschaft leben, einander beerben unter Ausschluss anderer Erben[30]. Aber innerhalb dieses übrigen Erbes wird im VStL nicht zwischen Landbesitz und Fahrhabe unterschieden. Die Ehefrau hat ebenso wie der Mann das Heiratsrecht in allen Gütern zu gewissen aliquoten Teilen[31].

Der Hauptteil der Erbbestimmungen des VStL berührt gerade das Heiratsrecht, eine Aufzählung der Erben wird nicht vorgenommen. Das Erbrecht für Kinder ebenso wie für Geschwister ist davon abhängig, ob das Erbe verteilt wird oder in Gütergemeinschaft verbleibt.

Nach bereits erfolgter Aufteilung des Erbes erben Söhne und Töchter zu gleichen Teilen ebenso wie Schwestern und Brüder. Der Vater hat das Recht, einem Kind als Auszahlung zubieten, was ihm beliebt. Alles Erbe und seine Verteilung betrifft sowohl Grund und Boden als auch Fahrhabe[32].

Das Erbrecht der Frau ist demzufolge im VStL völlig andersartig als im GL, ebenso auch der Anteil der Ehefrau am Hausstand. Dies spiegelt sich auch in einer solchen Bestimmung wider, dass

[27] GL 20: 13, 63: 2. Oben, 100.
[28] VStL IV: III: 1–6.
[29] Ssp I: 27: 1–2.
[30] VStL IV: III: 7, Ssp II: 20: 1.
[31] VStL IIII: III: 1–6.
[32] VStL IIII: I: 2, IIII: III: 7.

etwa weibliche Waise das Recht habe, sobald sie 18 Jahre alt wird, sich ohne die Einwilligung des Vormundes zu verheiraten, ohne ihr Erbrecht zu verlieren[33].

Die Regelungen für die Verteilung des Erbes sind im GL als Ablehnung auf die Forderungen des Sohnes auf Teilung formuliert. Geschieht die Aufteilung, so erhält der Sohn lediglich ein Hauptlos in Fahrhabe[34]. In der vorher behandelten Gesetzesstelle, in der die Schwester das Recht auf Eigentum erhielt als Kompensation dafür, dass der Bruder sie nicht verheiratet hatte, ist ihr Anteil auf $\frac{1}{8}$ des brüderlichen Landbesitzes begrenzt[35]. Das war ein Bruchteil dessen, was sie auf dem Festland und auch im Baltikum erhielt. Im baltischen Recht hatte eine Schwester bei vorliegender Sachlage das Recht auf gleich grossen Anteil wie ihre Brüder[36].

3. Das GL hat demzufolge ein bemerkenswert begrenztes weibliches Erbrecht im Verhältnis zu den geographisch angrenzenden Rechtssystemen. Die Erbordnung des GL und auch seine strengen Entäusserungsbestimmungen sind offenbar in der Absicht zustande gekommen, Aufsplitterung des Grundbesitzes zu verhindern. Das Verbot, Land bei Stadtbewohnern zu verpfänden[37], sowie die konsequente Einteilung in gotländische und nicht-gotländische Leute, deuten darauf hin, dass diese Gesetzgebung in erster Linie gegen die Stadt gerichtet war. Man kann hypothetisch annehmen, dass diese letztgenannten Bestimmungen im Zusammenhang mit der Krise zwischen der Stadt und dem Land während der 1280er Jahre und der damit zusammenhängenden Auseinandersetzung mit Magnus Birgersson zustande gekommen sind.

Aber die engere Bindung an die schwedische Zentralgewalt dürfte auch als eine Bedrohung der Privilegien der alten gotländischen Aristokratie erlebt worden sein. Eine Bestimmung des GL datiert aus einem Zeitraum, zu dem diese Bedrohung besonders aktuell gewesen sein dürfte, nämlich zum Zeitpunkt der Entstehung des Allgemeinen Landrechts. Diese Bestimmung ist nicht

---

[33] VStL IIII: I: 25, 2.
[34] GL 28: 8. Oben, 145.
[35] GL 24: 4.
[36] W-E L 20.
[37] GL 65.

diejenige, die man bisher als die entscheidende ansah, d.h. dass für Nicht-Gotländer galt, dass die Schwester gegenüber dem Bruder die Hälfte erbte. Dies braucht nämlich nicht auf schwedisches Recht, wie man stets angenommen hat, sondern kann ebenso auf dänisches Recht deuten. Bereits im SkL ist dieses Prinzip durchgeführt. Die in diesem Zusammenhang entscheidende Bestimmung findet sich vielmehr weiter unten in derselben Gesetzesstelle: *þa en falla cann syscana millan eþa syscana barna þa schiptin so þi sum feþrnj eþa myþrnj þa en fiarrar gangir þa liauti þan sum bloþi ier nestr*[38].

Es geht nicht klar hervor, ob diese Bestimmung ein Eintrittsrecht beinhaltet oder nicht. Entscheidend ist jedoch die Begrenzung des Erbrechtes der Deszendenten. Eine solche Bestimmung gibt es nur im schwedischen Recht und zwar im SdmL, in der sog. Skarastadga und in den Haupthandschriften des MEL[39]. In den letztgenannten wird festgesetzt, dass das Eintrittsrecht in der ersten Generation der Deszendenten und in der ersten Seitenparentel gilt, aber dass dann der Erbe des nächsten Grades erbt. Es ist wahrscheinlicher, dass sich die Bestimmung im GL auf das Allgemeine Landrecht bezieht, als auf ein einzelnes Landrecht. Die erbrechtliche Satzung, auf die im GL abgezielt wird, muss demzufolge dem MEL angehören.

GL 24:5, das diese Bestimmung enthält, bildet den Schluss eines Kapitels, das im übrigen die Überflussverordnungen bei Hochzeiten sowie die obengenannte Regelung hinsichtlich einer unverheirateten Schwester behandelt. Diese Erbregelungen gehören demzufolge nicht zusammen mit den übrigen, haben den Charakter einer später entstandenen Gesetzgebung. Auf der anderen Seite können diese nicht unter die eigentlichen Zusatzkapitel gerechnet werden, die erst nach den abschliessenden Worten des Rechtes folgen. Rein sprachlich gehören diese auch zum Hauptteil des Rechts. Man darf also nicht mit einem grösseren Zeitabstand zwischen diesen und den übrigen Erbregelungen rechnen.

Das GL hat demzufolge frühestens zur Zeit der Entstehung des

---

[38] GL 24:5. ,,Wenn die Geschwister oder Geschwisterkinder erben, dann teilen sie wie sie Vater- oder Muttererbe teilen, aber wenn solche Erben fehlen, dann erbt nur der im nächsten Grad."

[39] SdmL Ä I, DS 3106, MEL Ä 1–2.

Allgemeinen Landrechts seine endgültige Form erhalten, und wahrscheinlich nicht lange nach der Entstehung des VStL[40].

In der Vorrede zum VStL wird erwähnt, dass Recht und Freiheit der Stadt nach dem grossen Streit zwischen Stadt und Land von den Königen Magnus Birgersson und Birger Magnusson sowie den Herzögen Erik und Waldemar und schliesslich vom König Magnus von Schweden, Norwegen und Schonen garantiert wurde. Der letztere soll für den Fall des Entstehens einer neuen Rechtsfrage, die nicht im Recht vorgesehen war, bestimmt haben, man solle zunächst danach urteilen, was Recht wäre und dies dann dem Gesetzesbuch schriftlich beifügen. Das GL kennt dieselbe Bestimmung wie das VStL, was neuaufgekommene Rechtsfragen betrifft und deren Entscheidung sowie die Aufnahme im Gesetzesbuch[41]. Es existiert eine Parallelität zwischen VStL und GL, die aus der gleichzeitigen Niederschrift beider Rechte erklärt werden kann. Die Grundbesitzer des Landes dürften die Notwendigkeit empfunden haben, ihre Interessen zu behaupten, als die Rechte und Freiheiten der Stadt durch die schwedische Zentralverwaltung garantiert wurde. Magnus Birgersson und Magnus Eriksson bilden Anfang und Ende dieser Epoche.

Die Erbregelungen des neuentstandenen Allgemeinen Landrechts hätten, wenn sie auf Gotland eingeführt worden wären, den Untergang der alten Gesellschaftsordnung mit sich geführt. Das Festhalten am feudalen Erbrecht, die absolute Abhängigkeit der Frauen ebenso wie das konsequente Unterscheiden von ,,aþal gutnisct''-Volk als eine besondere Klasse und die strengen Landentäusserungsregeln sind ein notwendiges Glied innerhalb der Bestrebungen, diese Gesellschaftsordnung aufrechtzuerhalten. Die GS drückt dieselbe Tendenz aus, die Selbständigkeit gegenüber allen Zentralisierungsversuchen des Festlandes zu behaupten. Zusammen bildeten sie eine Wehr für die Rechte der geistlichen und weltlichen Aristokratie Gotlands.

Diese Datierung erklärt auch den Ausschluss der Partien, die vom Kauf von Unfreie handeln. Dies geschah in Zusammenhang mit der Gesetzgebung Magnus Erikssons auf diesem Gebiet[42].

---

[40] Von VStL:s Datierung s. *Hasselberg,* 16 ff.
[41] GL 61: 1.
[42] DS 3 106. S. auch *Hasselberg,* Skarastadgan 68 ff.

Für die endgültige Redaktion des GL war also — laut meiner hier vorgestellten Auffassung — die Entstehung der extremen Regelungen gegen die Zersplitterung des Grundbesitzes und dessen Zerstreuen von Bedeutung. Der eigentliche Typus der Erbordnung war dagegen aller Wahrscheinlichkeit nach älter. Vieles deutet darauf hin, dass diese Erbordnung früher gemeinsam war für grosse Gebiete rund um die Ostsee. Das GL zeigt eine Entwicklung, die im direkten Gegensatz zu grossen Teilen des nordischen und norddeutschen Rechts steht. Um dies klarzulegen, müssen die Erbregelungen des GL in diesen grösseren Zusammenhang gestellt werden.

XI
Entwurf einer neuen Theorie

Aus der früheren Darstellung ging hervor, dass die urgermanische Sippengesellschaft, die man in den mittelalterlichen Rechten zu erkennen vermeinte, eine Projektion feudalrechtlicher Bestimmungen ist. Dies gilt für das gemeinsame Sippeneigentum, das frühe Erbrecht und die Formen der Eheschliessung. Auch das Fehderecht und die Sippensühne gehören hierhin. In meiner früheren Arbeit habe ich gezeigt, dass die Vorstellung von einem urgermanischen, rein akkusatorischen Prozess, der von einem inquisitorischen abgelöst worden sein soll, das Ergebnis einer ähnlichen Projektion ist. Das rechtspolitische Bedürfnis, ein älteres einheimisches Recht zu schaffen, hat sich in einer Wissenschaftsanschauung niedergeschlagen, in der die Rechte als sichtbare Zeugen der Ablagerungen des Volkslebens betrachtet wurden und in der eine – wenn auch nur schwach entwickelte – Methode entstand, mit der man diese Erscheinung chronologisch ordnete.

Nachdem in dieser Hinsicht Klarheit geschaffen ist, besteht die Notwendigkeit, eine neue Theorie über die Entstehung der Rechte des Hochmittelalters im Ostseeraum zu entwerfen. Mit dieser Zeit- und Ortsbestimmung sind bereits die allgemeinen Richtlinien gegeben. Ausgehend von der quellenkritischen Bedingung der Unmittelbarkeit, muss die Analyse bei der schliesslichen Redaktionszeit der Rechte beginnen, d. h. für die überwiegende Mehrzahl das 13. Jahrhundert bis ungefähr 1350. Dies ist eine Periode bedeutsamer ökonomischer Veränderungen wegen der kräftigen Entwicklung des Handels. Sie wird charakterisiert durch starke zentralistische Bestrebungen in den Ländern und durch den offenen Machtkampf um die handelspolitische Hegemonie im Ostseeraum. Dies sind parallele Erscheinungen zu den Ereignissen im übrigen Europa. Das 13. Jahrhundert ist das Jahrhundert der grossen Gesetzgebungen; die Gesetzgebung erschien für die damalige Zeit als ein wichtiges Werkzeug der Zentralgewalt. Inhaltlich, sprachlich und formal zeigte die vorhergehende Analyse eine sehr deutliche Übereinstimmung zwischen den skandinavischen und deutschen Rechten und der Lombarda. Der Ausgangspunkt musste daher gegenüber dem landläufigen der entgegengesetzte sein: statt eines vorausgesetzten älteren skandinavischen Rechts – und damit älteren Gesellschaftsverhältnissen –, das allmählich durch kirchliches Recht und königliche Gesetze umgewandelt wurde, müssen wir eine Gesetzgebung annehmen, die in wesentlichen Teilen von einer bereits vorhandenen europäischen ausging und die darauf abzielte, die Gesellschaft nach bestimmten Gesichtspunkten zu strukturieren.

Dieser Ausgangspunkt hat sehr umfassende Konsequenzen und dürfte eine Neubewertung der älteren gesellschaftlichen Entwicklung bedeuten, zumal die jetzige Auffassung weitgehend auf rechtshistorischen Ergebnissen aufbaut. Die Übereinstimmungen beschränken sich nicht auf Busskataloge und terminologische Entsprechungen, sie betreffen vielmehr die gesamte gesellschaftliche Struktur wie sie in den Rechten hervortritt. Ich möchte für die zukünftige Arbeit die Hypothese aufstellen, dass die gesamte Verwaltung des Gerichtswesens, die die königlichen und kirchlichen Einkünfte aus Bussgeldern garantierte, übernommen wurde auf die skandinavischen Verhältnisse als ein Glied in der Entwicklung der Zentralgewalt.

Diese Verwaltung tritt hervor als gesteuert vom König als der obersten Spitze, gefolgt von den Landrichtern, Bezirkshauptleuten und Volksfreien in einer hierarchischen Ordnung, die dem Judex, dem Schultheiss und den Volksfreien in der Lombarda entspricht. Die letzteren sind in beiden Rechtssystemen denselben Things- und Wehrpflichten unterworfen. Die Beamten sind Verwalter des Rechts und treten auf als Richter und exekutive Organe, die in direktem Abhängigkeitsverhältnis zum König stehen.

Die ökonomischen Bedingungen der Rechtsverwaltung scheinen ebenfalls übernommen. Für die Vereidigung muss durchweg ein Bürge gestellt werden und ebenso durchgängig werden die Richter wie die Prozessparteien in Form von Berufungsgeld ökonomisch verantwortlich gemacht, was andeutet, dass die ersteren ihre Vogteien als eine Art Amtslehen innehatten.

Die grosse Bedeutung des Bürgschaftsrechts ist in beiden Rechtssystemen auffallend, nicht zuletzt hinsichtlich der Transaktionen grosser Besitztümer, welche das Ehegeschäft letztlich

zum Inhalt hatte. Hier finden sich bis ins einzelne stark hervortretende Entsprechungen. Es dürfte auch ein starkes aristokra-
tisches Interesse an einer rechtlichen Regelung dieses Gebiets
vorhanden gewesen sein. Dasselbe gilt auch für das Verhältnis zu
den Unfreien, das eine weitere Parallele darstellt.

Die Machtverhältnisse, wie sie sich in der Gesetzgebung ausdrücken, sind eine wichtige Quelle für die Beurteilung der tatsächlichen Situation. Die Theorie muss einerseits auf einem Schema für
die Analyse sämtlicher Rechte in dieser Hinsicht aufbauen, andererseits Kriterien schaffen für die Schlüsse, die zu ziehen man berechtigt ist hinsichtlich des tatsächlichen Geschehens. Was dies betrifft, so muss vor allem von den erzählenden Angaben der Rechte
selbst ausgegangen werden. Auf erbrechtlichen Gebiet wird
sowohl explizit als auch implizit ausgesagt, dass in den meisten
nordischen Rechten eine Umgestaltung stattfand von einem
System mit relativ freiem Aufteilungsrecht zu einem System gesetzlich festgelegter Anteile, wobei die Tochter zusammen mit
dem Sohn erbt.

Betreffs dieser Umgestaltung des skandinavischen Rechts, so ist
deutlich, dass man hierzu Ursachen und Folgen anführen kann,
die auf verschiedenen Ebenen liegen. Es ist beispielsweise offensichtlich, dass es bei der Erbteilung strittige Interessen gegeben
haben muss und dass dies eine sehr grosse Belastung des Gerichtswesens durch erbrechtliche Fälle mit sich geführt haben dürfte.
Besonders deutlich tritt dies im Sachsenspiegel hervor, wo ein
expliziter Gegensatz vorliegt zwischen Lehnrecht und Landrecht.
Obwohl ein Sohn nach dem Lehnrecht das Lehen behalten darf,
das er vorzeitig geerbt hat, so streitet dies gleichzeitig gegen das
Landrecht. Klagten die anderen Erben nach dem Landrecht, so
musste der Bruder mit ihnen gleichmässig teilen[1].

Die Erbteilung nach gesetzlich bestimmten Anteilen am Erbe
beinhaltet, dass das Recht der Töchter im Verhältnis zu dem der
Söhne fixiert wird. Im individuellen Fall braucht dies keine Ver-
stärkung ihres Erbrechts mit sich gebracht haben, wie man im allgemeinen annahm. Man hat dabei völlig übersehen, dass sie bei
ihrer Heirat mit einer Mitgift versehen wurde, die grösser sein

---

[1] Ssp I: 14.

konnte als das, was für einen jüngeren Sohn übrig blieb oder für Kinder aus späteren Ehen. So wird etwa im ÖgL und GL vorausgesetzt, dass die Mitgift bedeutenden Wert hat[2].

Dagegen dürfte dies eine erhöhte Sicherheit für die unverheiratete Frau bedeutet haben. In seiner Ganzheit bedeutete die Reform aber wahrscheinlich einen grösseren Ausgleich zwischen älteren und jüngeren Kindern, besonders wenn diese aus verschiedenen Ehen stammten, als zwischen den Geschlechtern.

Als die Frauen in grösserer Skala Boden zu erben beginnen, verlangte dies sorgfältigere Bestimmungen hinsichtlich des Überganges der Vormundschaft vom Heiratsvormund auf den zukünftigen Ehemann, und dies hat die Ausbildung der Zeremonie des Beilagers zur Folge gehabt mit seinen typisch feudalrechtlichen Zügen, die in der späteren Gesetzgebung ausgesprochen sind.

Gleichzeitig ist klar, dass das bewahrte Gesetzesmaterial nicht das gesamte Bild der Eigentumsverhältnisse des Festlandes vermittelt. Der grundbesitzende Adel, der sich formal abzugrenzen verstand, erhält durch private Abmachungen die Möglichkeit, über sein Eigentum zu verfügen, um angemessene Eheschliessungen für seine Töchter oder aber um Besitzkonzentrationen in geeigneten Händen zu ermöglichen. Dadurch wird die gesetzlich festgelegte Teilung umgangen. Schweden und die anderen skandinavischen Länder erhalten zumindestens in der Praxis hinsichtlich des Erbes dieselbe Aufteilung in Lehnrecht und Landrecht wie Mittel- und Westeuropa.

Über die letztere Entwicklung wissen wir auch, dass das feudale Erbrecht innerhalb des Adels auf gewohnheitsrechtlicher Basis weiterexistierte. Im Schweden des 16. Jahrhunderts findet sich, wie erwähnt, das System, dass die Töchter gegen Mitgift in Fahrhabe veranlasst werden, aufs Erbe am väterlichen Boden zu verzichten, so lange Brüder und Abkömmlinge von Brüdern vorhanden waren[3]. Der endgültige Angriff auf den Grundbesitz des Adels geschieht durch die Einführung des gleichen Erbrechts im Jahre 1845.

Für die Kirche bedeutete die Aufteilung unter die Kinder, dass

---

[2] ÖgL G1, GL 65.
[3] *Kock*, Om hemföljd, 117 ff.

grosse Teile des Eigentums von Generation zu Generation weitergegeben wurden, ohne dass die Kirche die Möglichkeit gehabt hätte, durch das Testamentsinstitut daran Anteil zu nehmen. Die Durchführung des Prinzips „viventis hereditas non est" oder mit der Formulierung *aengin ma aennan quikkan aerwfa*[4] muss die Voraussetzung für die Erfolge der Kirche auf dem Gebiet des Testamentsrechts gewesen sein. Denselben Effekt, einer Bestrebung gegen die grossen Gutsbildungen, hatte auch das während des Mittelalters stark hervorgehobene kirchliche Verbot der Eheschliessung für Verwandte, zunächst siebten Grades, dann vierten Grades.

Man muss sowohl mit kirchlichem als auch königlich fiskalischem Interesse bei der neuen Erbteilung rechnen. Es ist jedenfalls auffallend, dass die Umgestaltung des Erbrechts zeitlich ungefähr mit den grossen Veränderungen zusammenfällt, die letztlich ökonomisch bestimmt sind, wie etwa der Übergang von der Heeresfolge zur Besteuerung, berechnet nach der Grösse des Grundbesitzes.

In diesem Zusammenhang gehören auch die Sippenbussen. Diese finden sich ausschliesslich in späteren Rechten und dürften eine Folge der neuen Bestimmungen über die Erbteilung sein, da sie bis ins kleinste Detail den Erbquoten folgen. Die gewaltigen Wergelder dürften auf ungeteilte Güter berechnet gewesen sein; durch die solidarische Verantwortung auch noch nach erfolgter Erbteilung wurden die königlichen Einkünfte garantiert.

Aus den oben angegebenen Gründen sind wir also berechtigt, gewisse Schlüsse über die Eigentumsverhältnisse während der älteren Periode zu ziehen. In Schweden war es offensichtlich — ebenso wie im übrigen Ostseegebiet — üblich, dass verschiedene Gruppen von Erben, vor allem Brüder und ihre Nachkommenschaft sowie unverheiratete Schwestern zusammen lebten. Im erbrechtlichen System beinhaltete dies einen gewissen Vorteil für den fortgesetzten Besitz des Bodens innerhalb der Sippe: in Gütergemeinschaft lebende Erben beerbten sich nämlich ohne weiteres. Mit der Bestimmung über die obligatorische Erbteilung mit bestimmten Quotenteilen hörte die Möglichkeit auf, das Eigen-

---

[4] UL Ä 8.

tum ungeteilt zu behalten und der König erhielt einen festen Platz in der Erbordnung. Im ÖgL wird dies explizit festgelegt mit dem Zusatz: ,,Detta kallades fordom dana arv"[5].

Es ist dagegen schwerer daraus irgendwelche Schlüsse über die Gestaltung des Lehnsverhältnisses zu ziehen. Es kann sich um ein ziemlich lockeres Band mit Betonung eines königlichen Hoheitsrechtes gehandelt haben. Die Variationen des Lehnsverhältnisses sind in der Praxis sehr gross zum selben Zeitpunkt in verschiedenen Teilen Europas. Als Beispiel eines sehr lockeren Lehnsverhältnisses können die estnischen Gebiete unter der dänischen Krone während des 13. Jahrhunderts genannt werden. Innerhalb eines solchen Verhältnisses konnte das Lehen leicht als allodiales Eigentum betrachtet werden und mit der Zeit verschwand jegliches Zeichen des Rechts des ursprünglichen Lehnsherrn. Es ist nicht unmöglich, dass dies auch für Gotland galt. Die gotländischen Erb- und Eigentumsbestimmungen zeigen eine solche Verwandtschaft mit deutsch-baltischem Recht, dass eine solche Annahme in jedem Fall nicht unwahrscheinlich ist.

Bei der Ausarbeitung der Theorie muss man dazu Stellung nehmen, welche Schlüsse im Hinblick auf die Intention des Gesetzgebers man aus den festgestellten, tatsächlichen Verhältnissen und aus den Folgen der gesetzgeberischen Massnahmen ziehen kann. Die neuen Erbgesetze sind von meinem oben dargelegten Standpunkt aus ein Glied in der reorganisierenden Innenpolitik der Zentralgewalt, deren Voraussetzungen in der neuen handelspolitischen Situation lagen, die gegen Mitte des 13. Jahrhunderts im Ostseegebiet heranwuchs. Der gotländische Adel hat seine Privilegien erfolgreich gegenüber dieser Politik bewahren können und die gesellschaftliche Struktur der Insel ähnelt deshalb mehr den baltischen Ländern der alten Handelsgemeinschaft als dem schwedischen Festland. Hierdurch wird die Sonderstellung der Insel betont.

Ein solcher Indiziennachweis muss mit dem Ergebnis einer komparativen Untersuchung der Struktur und hauptsächlichen Problemlösungen angrenzender Gesetze und den Schlussätzen, die sich aus vorhandenen Gleichheiten und Unterschieden ziehen

---

[5] ÖgL Ä 22, 23.

lassen, untermauert werden. Über die Frage der praktischen Abgrenzung des zu untersuchenden Gebietes ist im Zusammenhang mit der näheren Ausgestaltung der neuen Fragestellungen zu entscheiden. Die hier vorgenommene Analyse zeigt, dass ausser den nordischen Gesetzen zumindest der Sachsenspiegel, das deutschbaltische Recht und die Lombarda in Betracht zu ziehen sind. Die Lombarda war von entscheidender Bedeutung für die Ausgestaltung gewisser Teile der nordischen Gesetze, ein Einfluss, der bisher noch nie nachgewiesen wurde.

Die Quellenbetrachtung der traditionellen Rechtsgeschichte war bedingt durch die hauptsächliche Zielsetzung dieser Forschung während des 19. Jahrhunderts: den historischen Ursprung der Rechtsregeln zu suchen und damit die aktuelle Rechtspolitik zu legitimieren. Die neue Problemstellung hat keinen entwicklungshistorischen Aspekt und beinhaltet eine andere Quellenauffassung und Theorie. Diese Elemente bedingen sich gegenseitig und lassen sich praktisch nicht voneinander trennen. Vom methodenkritischen Gesichtspunkt her gesehen wäre daher an sich die Feststellung voll ausreichend, dass die traditionelle Rechtsgeschichte vom modernen geschichtswissenschaftlichen Standpunkt her zu keinen akzeptablen Belegen für die angebliche Gesellschafts- und Rechtsentwicklung geführt hat. In der Praxis ist das Problem jedoch nicht so einfach. Was die rechtsgeschichtliche Literatur der letzten 50 Jahre betrifft, hat diese in bestimmten Teilen zu solchen Konsequenzen für die Allgemeingeschichte geführt — und dies offensichtlich, weil man sich letztgenannterseits nicht darin vertiefte, wie die Rechtshistoriker arbeiten — dass eine methodenkritische Untersuchung berechtigt erscheint. Falls sie zu einer anderen Bewertung der Gesetze als Quellen mittelalterlicher Geschichte des Nordens beitragen kann, hat sie ihren Zweck erfüllt.

Referenzen

Altlivlands Rechtsbücher. Hrsg. von F. C. von Bunge. Leipzig 1879.

Corpus iuris sueo-gotorum antiqui. I–XIII. Samling af Sveriges gamla lagar. Hrsg. von H. S. Collin und C. J. Schlyter. Stockholm–Lund 1827–77. *Schlyter Corpus.*[1]

Danmarks gamle landskapslove med kirkelovene. Hrsg. von J. Brøndum-Nielsen und P. J. Jørgensen. I–VIII. København 1933–41.

Das langobardische Lehnrecht. Hrsg. von K. Lehmann. Göttingen 1896. *Lehmann.*

Diplomatarium Danicum. I: 5. København 1946.

Diplomatarium Suecanum. I–V. Stockholm 1829–65.

Gutalagen HsA. Sign. B 64. Kungl. Bibliboteket, Stockholm. Die Handschriftssammlung.

Gotlands runinskrifter, granskade och tolkade av Sven B. F. Jansson und E. Wessén. Sveriges runinskrifter. I. 1962.

Grágás, efter det Arnamagnaeanske Haandskrift. Staðarhólsbók. København 1879.

Gregorius Turonensis. Gregor von Tours, Zehn Bücher Geschichten. Auf Grund der Übersetzung W. Giesebrechts, neubearb. von Rudolf Buchner. Bd 1–2. 1970–74. Ausgewählte Quellen zur deutschen Geschichte des Mittelalters, Bd 2–3.

Handbuch der Quellen und Literatur der neueren europäischen Privatrechtsgeschichte. I. Hrsg. von H. Coing. München 1973. *Handbuch.*

Kulturhistoriskt lexikon för nordisk medeltid. I–XIX. Malmö 1956–75.

Liv-, Esth- und Curländisches Urkundenbuch nebst Regesten. I–II, VI. Hrsg. von F. G. von Bunge. Reval 1853–73. *Urkundenbuch.*

Magnus Erikssons landslag i nusvensk tolkning. Hrsg. von Å. Holmbäck und E. Wessén. Rättshistoriskt bibliotek. I: 6. Lund 1962.

Magnus Erikssons stadslag i nusvensk tolkning. Hrsg. von Å. Holmbäck und E. Wessén. Rättshistoriskt bibliotek. I: 7. Lund 1966.

Monumenta Germaniae Historica. Fontes iuris germanici antiqui. Nova series.

Tom. I. Sachsenspiegel. Land- und Lehnrecht. Hrsg. von K. A. Eckhardt. Hannover 1933.

Legum. Tom. IV. Ed. G. H. Pertz. Hannover 1868.

Norges gamle love indtil 1387. Hrsg. von R. Keyser und P. A. Munch I–V. Christiania 1846–95.

Pipping, H., Gutalag och Gutasaga jämte ordbok. København 1905–07. *Pipping, Gutalag.*

---

[1] Der Kursivdruck gibt die im Text zitierten Kurztitel wieder.

Schlüter, W., Zwei Bruchstücke einer mittelniederdeutschen Fassung des Wisbyschen Stadtrechtes aus dem 13. Jahrhundert. Mitteilungen aus dem Gebiete der Geschichte Liv-, Est- und Kurlands. 18. Riga 1903–08. *Schlüter.*

Svenska landskapslagar, tolkade och förklarade för nutidens svenskar. Hrsg. von Å. Holmbäck und E. Wessén. 1–5. Stockholm 1933–46. *Holmbäck–Wessén.*

Sverges traktater med främmande magter jemte andra hit hörande handlingar. I–III. Hrsg. von O. S. Rydberg. Stockholm 1877–95.

Zeitschrift für geschichtliche Rechtswissenschaft I. Hrsg. von F. C. von Savigny, C. F. Eichhorn und J. F. L. Gösschen. Berlin 1815.

Almquist, J. E., Den s. k. mellersta lagens bestämmelser om istadarätt. UUÅ 1924.

— Strödda bidrag till civilrättens historia. Stockholm 1953.

Amira, Karl von, *Grundriss* des germanischen Rechts. *In:* Grundriss der germanischen Philologie, hrsg. von Hermann Paul. Dritte verbesserte und vehrmehrte Auflage. Strassburg 1913.

— Nordgermanisches *Obligationenrecht* I–II. Leipzig 1882–95.

— Über Zweck und Mittel der germanischen Rechtsgeschichte. München 1876.

Anners, Erik, Europeisk rättshistoria. I. Några huvudlinjer. Stockholm 1973. 2. Auflage 1975.

Axelsson, Sven, Sverige i dansk annalistik 900–1400. Stockholm–Uppsala 1956.

Bachofen, J. J., Das Mutterrecht. Eine Untersuchung über die Gynaikokratie der alten Welt nach ihrer religiösen und rechtlichen Natur. Stuttgart 1861.

Björkander, A., Till Visby stads äldsta historia. Uppsala 1898. *Björkander.*

Bolin, Sture, Ledung och frälse. Studier och orientering över danska samfundsförhållanden under äldre medeltid. Lund 1934.

Bosl, Karl, Monographien zur Geschichte des Mittelalters. Band 4/1. Die Grundlagen der modernen Gesellschaft im Mittelalter. Teil I. Stuttgart 1972.

Bruckner, Wilhelm, Die Sprache der Langobarden. Quellen und Forschungen zur Sprach- und Culturgeschichte der germanischen Völker. Strassburg 1874–1918. Bd LXXV.

Brunner, Heinrich, Das anglonormannische *Erbfolgesystem*. Leipzig 1869.

— Deutsche Rechtsgeschichte. I. Leipzig 1887. *DR.*

— *Kritische Bemerkungen* zur Geschichte des germanischen Weiberrechts. SZ/Germ 21 (1900).

Bunge, F. G. von, Baltische Geschichtsstudien. I. Leipzig, 1875.

Carlsson, Lizzie, *Jag giver* dig min dotter. I–II. Trolovning och äktenskap i den svenska kvinnans äldre historia. Lund 1965–72.

— Sängledningen. Hednisk-borgerlig rättsakt och kristen ceremoni. *VSLÅ 1951.*

— Sängledningen och kanonisk rätt. *VSLÅ 1953.*
— Några synpunkter på äldre svensk äktenskapsrätt. *VSLÅ 1956.*
— Sängledningen i äldre svensk äktenskapsrätt. *JFT 1958.*
— Das Beilager im altschwedischen Eherecht. *SZ/Germ 75 (1958).*
— Vom Alter und Ursprung des Beilagers im germanischen Recht. *SZ/Germ 77 (1960).*
— Äktenskapsrätten i Visby stadslag. HT 1961:2.
Carlsson, S. – Rosén, J., Svensk historia. I. Stockholm 1962.
Conrad, Hermann, Deutsche Rechtsgeschichte. I. Frühzeit und Mittelalter. Karlsruhe 1954.
Eckhard, K. A., Beilager und Muntübergang zur Rechtsbücherzeit. SZ/Germ 47 (1927).
Eichhorn, K. F., Deutsche Staats- und Rechtsgeschichte. I. Göttingen 1821.
Engels, Friedrich, Der Ursprung der Familie, des Privateigentums und des Staats. Svensk övers. av Bertil Wagner. 3 uppl. Stockholm 1969.
Fenger, Ole, Fejde og Mandebod. Studier över slægtsansvaret i germansk og gammeldansk ret. København 1971. *Fenger.*
Ficker, Julius, Das longobardische und die scandinavischen Rechte. Mitteilungen für österreichische Geschichtsforschung. XXII. Innsbruck 1901. *Ficker.*
— *Untersuchungen* zur Rechtsgeschichte. Untersuchungen zur Erbenfolge der ostgermanischen Rechte. I–VI. Innsbruck 1891–1904.
Freisen, Joseph, Geschichte des canonischen Eherechte bis zum Verfall der Glossenliteratur. Paderborn 1893.
Friedberg, Emil, Das Recht der Eheschliessung in seiner geschichtlichen Entwicklung. Leipzig 1865.
Fritz, Matthäus, Die gesetzliche Verwandtenerbfolge des älteren schwedischen Rechts. SZ/Germ 36 (1915).
Gagnér, Sten, Studien zur Ideengeschichte des Gesetzgebung. Uppsala 1960.
— *i knutzs* kunungxs daghum. Helsingfors 1961.
Gans, Eduard, Das *Erbrecht* des Mittelalters I–IV. 1829–35. Neudruck in Das Erbrecht in weltgeschichtlichen Entwicklung. Stuttgart 1963.
Ganshof, F. L. Feudalism. London 1952.
Genzmer, Felix, Die germanische Sippe als Rechtsgebilde. SZ/Germ 67 (1950).
Gierke, Otto, Das deutsche Genossenschaftsrecht. I–III. 1868–81. IV. 1923.
Hafström, Gerhard, Den svenska familjerättens historia. Kompendium 1970.
— Tiohäradslagen och Värendsrätten. Hyltén-Cawalliusföreningens årsbok 1965.
Hammerich, L. L., Was ist germanische Rechtsgeschichte? Saga och Sed 1959.
Hasselberg, Gösta, Den s. k. *Skarastadgan* och träldomens upphörande i Sverige. Västergötlands Fornminnesförenings Tidskrift. V:3. 1944.

— Studier rörande Visby stadslag och dess källor. Uppsala 1953. *Hassel-berg*.

— Rättshistoria. In: 20 års samhällsforskning. Stockholm 1969.

Hegel, G. W. F., Grundlinien der Philosophie des Rechts. Sämtliche Werke. Jubiläumsausgabe in zwanzig Bänden. Band VII. Stuttgart 1938. *Rechtsphilosophie*.

Hegel, K., Städte und Gilden der germanischen Völker im Mittelalter. Leipzig 1891.

Hemmer, Ragnar, Om bilägret som akt i äldre svensk äktenskapsrätt. *JFT 1952*.

— Om äktenskapets fullbordan enligt äldre svensk rätt. *JFT 1955*.

— Ännu i frågan om äktenskapets fullbordan enligt äldre svensk rätt. *JFT 1958*.

— Slutord i frågan om äktenskapets fullbordan i äldre svensk rätt. *JFT 1958*.

— Über das Beilager im germanischen Recht. *SZ/Germ 76 (1959)*.

— Nochmals über das Beilager im germanischen Recht. *SZ/Germ 78 (1961)*.

Holmbäck, Åke, *Ätten* och arvet enligt Sveriges medeltidslagar. Uppsala 1919.

Hübner, Rudolf, Grundzüge des deutschen Privatrechts. 5. Aufl. Leipzig 1930. *Hübner*.

Iuul, Stig, Anders Sunesen som Lovgiver og juridisk forfatter. *SvJT 1948*.

Jansson, Valter, *Runsten* från Bro socken. Acta Philologica Scandinavia 1935.

Jørgensen, P. Joh. Dansk Retshistorie. København 1965.

Jörs–Kunkel, Römisches Privatrecht. Berlin 1935.

Kaser, Max, Das römische Privatrecht. Handbuch der Altertumswissenschaft. München 1955–60.

Kier, Chr., Dansk og langobardisk Arveret. Aarhus 1901.

— Edictus Rothari. Aarhus 1898.

Kock, Ebbe, *Om hemföljd* i svensk rätt t. o. m. 1734 års lag. Lund 1926.

Koschaker, Paul, Die Eheformen bei den Indogermanen. Deutsche *Lan-desreferate* zum II. internationalen Kongress für Rechtsvergleichung im Haag 1937. Zeitschrift für ausländisches und internationales Privatrecht/11, 1937. Sonderheft.

Kroeschell, Karl, Die Sippe im germanischen Recht. SZ/Germ 77 (1960).

Kumlien, Kjell, Sverige och hanseaterna. Studier i svensk politik och utrikeshandel. VHAH 86, 1953.

Kunkel, Wolfgang, Römische Rechtsgeschichte. Köln 1967.

Landsberg, E., Geschichte der deutschen Rechtswissenschaft III: 2. *In:* Geschichte der Wissenschaften in Deutschland. XVIII. Text und Noten. München und Berlin 1910. *Landsberg*.

Larsson, Lars-Olof, Det medeltida *Värend*. Studier i det småländska gränslandets historia fram till 1500-talets mitt. Lund 1954.

Lehmann, Karl, *Verlobung und Hochzeit* nach den nordgermanischen Rechten des früheren Mittelalters. München 1882.

Lindström, G., Anteckningar om Gotlands medeltid. I–II. Stockholm 1892.

Läffler, L. F., Hedniska edsformulär i Vestgötalagen. Antiqvarisk Tidskrift för Sverige V.

— Till 700-årsminnet af slaget vid *Lena*. Fornvännen 1908–09.

MacLennan, J. F., Primitive Marriage. 1865. *In:* Ancient History 1876.

Maine, Henry, S., Ancient Law, its connection with the early history of society and its relation to modern ideas. London 1863.

— Lectures on The Early History of Institutions. London 1875.

Maurer, Konrad, Udsigt over de nordgermaniske retskilders historie. Kristiania 1878.

Mitteis–Lieberich, Deutsche Rechtsgeschichte. 8 Aufl. 1963, 10 Aufl. 1966.

Morgan, Lewis, Ancient History. 1877.

— On the Systems of Consanguinity of the Human Family. 1871.

Norborg, L.-A., Källor till Sveriges historia. Lund 1968.

Nyström, Per, Historieskrivningens dilemma och andra studier. Stockholm 1974. Neudruck. *Nyström*.

Nordström, J. J., *Bidrag* till den svenska samhällsförfattningens historia. I–II. Helsingfors 1939–40.

Olivecrona, K., Om makars giftorätt i bo. Uppsala 1882.

Pipping, Hugo, Gotländska studier. Uppsala 1901.

— Nya gotländska studier. Göteborg 1904.

Planitz, Hans, Germanische Rechtsgeschichte. 1941.

Planitz–Eckhardt, Deutsche Rechtsgeschichte. 2 Aufl. Graz-Köln 1961.

Ranehök, Allan, Centralmakt och domsmakt. Studier kring den högsta rättskipningen i kung Magnus Erikssons länder 1319–1355. Uppsala 1975.

Savigny, F. C. von, Geschichte des römischen Rechts im Mittelalter. I. Heidelberg 1815.

— Juristische Methodenlehre. Stuttgart 1951.

— System des heutigen römischen Rechts. I. Berlin 1940.

Schlyter, C. J., Juridiska Afhandlingar. I. Uppsala 1836.

— Om den i några äldre handlingar förekommande benämningen »medleste lagen». VHAH 18, 1846.

Schröder–v. Künssberg, Lehrbuch der deutschen Rechtsgeschichte. 1922.

Schultze, A., Zum altnordischen Eherecht. Berichte über die Verhandlungen der sächsischen Akademie der Wissenschaften zu Leipzig. 1939.

Schwerin–Thieme, Deutsche Rechtsgeschichte. Berlin 1950.

Schück, Herman, *Ecclesia* Lincopensis. Studier om Linköpingskyrkan under medeltiden och Gustav Vasa. Stockholm 1959.

Sjöholm, Elsa, *Rechtsgeschichte* als Wissenschaft und Politik. Studien zur germanistischen Theorie des 19. Jahrhunderts. Berlin 1972.

Skov, Sigvard, Anders Sunesen og Guterloven. Festskrift till Erik Arup. København 1946.

Sohm, Rudolph, Das Recht der *Eheschliessung* aus dem deutschen und canonischen Recht geschichtlich entwickelt. Weimar 1875.

Studien zum mittelalterlichen Lehenswesen. Vorträge gehalten in Lindau am 10–13 Oktober 1956. Vorträgen und Forschungen. V. Lindau und Konstanz 1960.

Ståhle, Carl Ivar, Syntaktiska och stilistiska studier i fornnordiskt lagspråk. Studies in Scandinavian Philology. I. Lund 1958.

Wasserschleben, H., Das Prinzip der Successionsordnung nach deutschem insbesondere sächsischem Rechte. Gotha 1860.

Weibull, Lauritz, En forntida utvandring från Gotland. Scandia 15, 1943.

— Liber legis Scanie. Nordisk historia. II. 1948.

— Skånes kyrka från äldsta tid till Jacob Erlandsens död 1274. 1946.

Wessén, E., Gutasagan och Gotlands kristnande. Gutalagen. Boken om Gotland. I. Visby 1945.

Wilda, W. E., Das Strafrecht der Germanen. Halle 1842.

Winroth, A., Svensk civilrätt. V. Arf och danaarf. Norrköping 1909.

Yrwing, Hugo, Gotland under äldre medeltid. Lund 1940. *Yrwing*.

Abkürzungen

Aist.	Liber Papiensis Aistulf
AS	Anders Suneson
ASun	Anders Sunesons parafras
BR	Bjärköarätten
DL	Dalalagen
DS	Diplomatarium Suecanum
Eþs	Edsöresbalken
FrL	Frostatingslagen
G	Giftermålsbalken
GL	Gutalagen
Gri	Liber Papiensis Grimoaldus
GS	Gutasagan
HT	Historisk Tidskrift
JFT	Juridisk Tidskrift för Finland
Kk	Kyrkobalken
KLNM	Kulturhistoriskt lexikon för nordisk medeltid
Liu	Liber Papiensis Liutprand
M	Manhelgdsbalken
MEL	Magnus Erikssons landslag
MESt	Magnus Erikssons stadslag
Pip	Liber Papiensis Pippini
Ro	Liber Papiensis Rothari
SdmL	Södermannalagen
SkL	Skånelagen
SkSt	Skåne stadslag
SmL	Smålandslagen
Ssp	Sachsenspiegel
Sv.Tr.	Sverges Traktater med främmande magter
SZ/Germ	Zeitschrift der Savigny-Stiftung für Rechtsgeschichte. Germanistische Abteilung.
UUÅ	Uppsala universitets årsskrift
W-E L	Das Waldemar-Erich'sche Lehnrecht
VgL	Västgötalagen
VHAH	Vitterhets historie och antikvitets akademiens handlingar
VmL	Västmannalagen
VSLÅ	Vetenskapssocietetens i Lund årsbok
VStL	Visby stadslag
Ä	Ärvdabalken
ÄRr	Das älteste livländische Ritterrecht
ÖgL	Östgötalagen